De hele erge Ellie en nare Nellie

Andere boeken van Rindert Kromhout:

Bil en Wil. Vijf kleine avonturen van twee grote vrienden
(met Jan Jutte)
Bil en Wil. Vrienden voor altijd (met Jan Jutte)
Het geheim van Zwartoog
Het geheim van de verdwenen muntjes
Het geheim van de raadselbriefjes (met Pleun Nijhof)

www.rindertkromhout.nl
www.leopold.nl

Rindert Kromhout

De hele erge Ellie en nare Nellie

Met illustraties van Annemarie van Haeringen

Leopold / Amsterdam

Inhoud

Erge Ellie en nare Nellie

Bas

Stap voor stap loopt Bas door zijn dorp. Steeds kijkt
hij om zich heen. Hij is op zijn hoede voor gevaar.
Het is nog niet te zien, maar hij weet dat het er is. Het
gevaar is er *altijd*. Je weet alleen nooit wáár precies
en je weet nooit wanneer het komt. Nu is hij nog in
zijn straat, daar is het nog wel veilig. Maar straks
moet hij de hoek om, en dan... brrr! Hij moet er niet
aan denken.
Bas doet een boodschap voor zijn moeder, koekjes
kopen omdat ze bijna jarig is.
Nou en? zul je zeggen. Niks mee aan de hand.
Maar dan ken je de tweeling Smit niet. Bas kent ze
wel en daarom is hij op zijn hoede. Want als hij ze
tegenkomt, dan...
Ai, nu is hij aan het eind van de straat, nu moet hij de
hoek om. Was die winkel maar niet zo ver weg, of
was zijn moeder maar bij hem.
Hij haalt diep adem. Hij kijkt achter zich, hij kijkt
voor zich. Niemand te zien. Alles lijkt in orde.
Oké, daar gaat hij dan, de straat van de tweeling in.
Het is stil in die straat. Geen kind speelt buiten. Geen
kind dúrft buiten te spelen, want wie dat doet loopt
groot gevaar.

Op zijn tenen loopt Bas verder. Zo horen ze hem
misschien niet en...
'Aha! Een jochie!'
'Kom jij eens even hier, jochie!'
Daar zijn ze, daar is de tweeling Smit. Ellie en Nellie
Smit. Bas rilt van angst. Hij moet er gauw vandoor.
Maar het is al te laat, de tweeling verspert hem de
weg. Ellie staat voor hem, Nellie gaat achter hem
staan.

'Zo jochie,' zegt Ellie, 'waar wou jij naartoe?'

'N...naar de bakker,' stottert Bas.

'Dus je hebt geld bij je,' zegt Nellie.

Bas zegt niks meer, hij weet al wat er gaat gebeuren.

'Geef hier dat geld,' zegt Ellie.

'En gauw een beetje,' snauwt Nellie.

'Het geld is niet van mij,' zegt Bas, 'het is van mijn moeder.'

Ellie grijnst gemeen. 'Nou en, wat kan ons dat schelen? Kom op met dat geld.'

'N...nee, laat me gaan,' smeekt Bas.

Snel doet hij een stap opzij. Misschien is hij vlug genoeg, misschien kan hij wegrennen.

Maar nee. Ellie grijpt hem vast. Zijn jack scheurt ervan.

Nellie geeft hem een stomp in zijn buik. 'Kom op met dat geld, of we slaan je in mekaar.'

Ellie schopt hem tegen zijn been. Het doet erge pijn.

Bas huilt van angst en kwaadheid. Maar hij heeft geen kans, hij weet dat hij geen kans heeft.

Langzaam haalt hij het geld uit zijn zak. Ellie grist het uit zijn hand.

'Twee euro?' zegt Nellie. 'Is dat alles?'

'Meer heb ik niet bij me,' zegt Bas. 'Laat me los, laat me gaan.'

'Eerst even kijken of je niet liegt.'

Ellie pakt hem bij zijn armen. Nellie voelt in zijn
zakken. Maar die zijn leeg, Bas heeft echt niet meer
geld bij zich.
'Laat hem maar vrij,' zegt Nellie.
Ellie gooit Bas op de grond. 'Rot maar op,' zegt ze en
ze gaat op zijn hand staan.
Bas gilt het uit van pijn.
Nellie spuugt hem op zijn hoofd. Daarna geeft ze
haar zus een arm. 'Kom op, we gaan snoep kopen.'
Doodkalm loopt de tweeling weg.

De moeder van Bas

Zonder geld en koekjes komt Bas thuis.
In de voortuin staat zijn moeder. 'Waar bleef je zo
lang?' vraagt ze. 'Wat zie je eruit! Waar zijn de
koekjes?'
'Heb ik niet,' zegt Bas. 'Mijn geld is gepikt.'
Verbaasd kijkt zijn moeder hem aan. 'Gepikt? Door
wie dan?'
'Door de tweeling Smit,' zegt Bas.
'Wat zeg je nou, de tweeling Smit?'
'Ja. Ze sloegen en schopten me en toen pakten ze
mijn geld af.'
'Die lieve meisjes?' vraagt zijn moeder. 'Hebben die je
geld?'
Bas knikt.
'Wat een onzin!' roept moeder uit. 'Die schatjes!
Alsof die ooit zoiets zouden doen, het zijn de liefste
kinderen die ik ken. Die slaan en schoppen niet, die
pakken geen geld af.'
'Het zijn geen schatjes,' zegt Bas, 'het zijn krengen.'
'Kletspraat!' zegt zijn moeder. 'Wat kun jij jokken,
zeg! Je hebt zeker patat gekocht van dat geld en toen
ben je ergens gaan spelen. Kijk nou toch eens naar je
jack, alweer een scheur erin. Wat stout van je, Bas.'

'Het is wél waar,' zegt Bas.

'Hou op met liegen,' zegt moeder. 'Voor straf naar je kamer, vooruit. Het is ook altijd hetzelfde met jou. Nooit doe je wat ik zeg, altijd denk je alleen maar aan... Ach kijk nou, daar heb je ze. Buurvrouw, kijk eens wie daar zijn!'

De buurvrouw kijkt op uit haar tuin.

De moeder van Bas wijst. 'Kijk daar, de tweeling Smit!'

Bas kijkt ook. En ja, daar lopen ze langs zijn tuin. De tweeling Smit. Twee lieve meisjes. Ze hebben blonde haren en blauwe ogen. Ze hebben roze jurkjes aan en strikken in hun haar. Hand in hand lopen ze voorbij.

'Dag mevrouw,' zeggen ze beleefd.

'Dag lieverds,' zegt de moeder van Bas. 'Wat gaan jullie doen?'

'Een boodschap voor onze moeder.'

'Wat zijn ze leuk,' zegt de buurvrouw. 'Wat zijn ze lief.'

'Ja, enig,' zegt de moeder van Bas.

Tja, Bas ziet het ook. Ze *lijken* lief en leuk. Maar Bas weet wel beter.

'Ach, leek mijn Bas maar wat meer op hen,' zegt moeder tegen de buurvrouw. 'Weet je wat hij heeft gedaan? En dat nu ik bijna jarig ben.'

Bas wil het niet horen. Stil loopt hij het huis in.

Stom dat zijn moeder hem niet gelooft. Hij is
woedend op de tweeling. Met grote mensen erbij
doen ze schattig. Maar als die er niet zijn... hou je dan
maar vast. Wat een loeders!
Kwaad stampt Bas de trap op. Hij zou die tweeling te
pakken willen nemen. Maar hoe?

Lot

Daar gaat Lot. Snel loopt ze door het park. Ze heeft
een fruitmand voor haar zieke oma bij zich.
Lot is dol op haar oma. Ook is ze dol op het park,
want je kunt er heerlijk spelen. Toch zou ze hier
liever niet zijn, tenminste: niet alleen. Ze wou dat
haar vader bij haar was. In het park zijn veel struiken
en achter elke struik kan het gevaar zitten. Erge Ellie
en nare Nellie. Vreselijk.
Ze heeft gehoord wat er met Bas is gebeurd. Arme
Bas. En dat was niet voor het eerst, hoor, o nee!
Haast elke dag slaat die tweeling toe, haast elke dag
grijpen Ellie en Nellie een kind.
De fruitmand is zwaar. Even gaat Lot op een bankje
zitten.
Alles lijkt veilig. De vogels fluiten, een hond plast
tegen een boom. Wie weet komen ze niet. Dan kan
Lot gewoon naar haar oma lopen, net als vroeger.
De tweeling woont nog niet lang in het dorp. Vroeger
was alles hier fijn en leuk. Vroeger wel, ja, maar
nu...
Lot staat weer op. Ze pakt de fruitmand en loopt
verder, langs bomen en struiken. En dan ineens...
Wat hoort ze daar achter die struik? Gefluister?

'Hé zus,' zegt iemand, 'zijn er grote mensen te zien?'

'Nee zus,' fluistert een ander, 'niemand te zien.'

Lot weet wie dat zijn. Die stemmen kent ze maar al te goed. Ze moet er gauw vandoor. Snel naar oma, of vlug naar huis.

Maar het is al te laat. Daar springen ze tevoorschijn, Ellie en Nellie Smit.

'Staan blijven!' schreeuwen ze.

Lot gilt van angst. 'Ga weg, laat me gaan!'

'Niks ervan,' zegt Ellie.

'Wat heb je daar bij je?' vraagt Nellie.

Lot klemt de fruitmand tegen zich aan. 'Blijf af.
Die is voor mijn zieke oma.'

'Voor je zieke oma?' zegt Ellie. 'Haha, mooi
niet. Geef hier die fruitmand en gauw een beetje,
anders slaan we je in mekaar.'

'Nee!' gilt Lot.

Ellie doet een stap naar voren. Ze trekt de
fruitmand uit Lots handen.

21

Nellie doet ook een stap naar voren. Ze krabt Lot in haar gezicht en geeft haar een gemene duw. Lot valt op haar knieën op de grond. Het doet pijn!
Ze ziet dat Ellie haar wil schoppen. Maar Nellie zegt: 'Kijk uit, zus. Daar komt iemand aan.'
Snel gaat de tweeling ervandoor.
Huilend blijft Lot achter.

De vader van Lot

Snikkend loopt Lot haar straat in. Al van ver ziet ze
haar vader staan. Hij praat met de buurman en wijst
ergens naar.
Lot kijkt. Het is de tweeling Smit waar vader naar
wijst. Ze zien er weer schattig uit. Lief en zoet, precies
als altijd met grote mensen erbij. Ze eten een appel.
Hoe durven ze! Lot weet waar die appels vandaan
komen.
'Kijk nou toch, buurman,' zegt Lots vader. 'Daar gaat
de tweeling Smit.'
'Wat een schatjes,' zegt de buurman. 'Ze zijn zo lief
voor hun ouders, heb ik gehoord. Nooit zeuren als
het bedtijd is. En hun zakgeld, wat denk je dat ze

23

daarmee doen? Snoep kopen of speelgoed? Welnee!
Ze kopen bloemen voor hun moeder en sigaren voor
hun vader.'
'Waren ze allemaal maar zo,' zegt Lots vader. 'Neem
mijn Lot nou. Ze doet nooit wat ik zeg.'
'Daar heb je Lot,' zegt de buurman.
'Lot!' roept vader kwaad. 'Kom jij eens even hier.
Waar ben jij geweest? Wat heb je met de fruitmand
gedaan? Oma heeft opgebeld, ze was erg bedroefd dat
je niet kwam. En dat terwijl ze heel, heel ziek is.'
'Ik kan er niks aan doen, pappa.' Lot vertelt wat er is
gebeurd.
Maar haar vader gelooft haar niet.
'Nog jokken ook! Je hebt natuurlijk weer in het park
gespeeld en toen raakte je die fruitmand kwijt. Wat
heb je je weer vies gemaakt.'
'Nee pappa, echt niet. Het was de tweeling Smit.'
'Kom nou toch!' zegt de buurman. 'Die lieve
kinderen, hoe kan dat nou?'
'Ja,' zegt Lots vader, 'het is altijd wat met jou. En dat
terwijl het bijna feest is.
Mamma en ik zijn tien
jaar getrouwd. Wees dus
maar wat liever voor ons.
En denk eens aan je
arme oma.'

'Maar pappa, ik...'

'Hou je mond. Ga naar je kamer.'

Bedroefd en kwaad gaat Lot naar binnen. Ze is
woedend op die tweeling. Lieve kinderen? Mooi niet!
Wat stom dat de grote mensen dat niet snappen.
Vroeger was alles anders. Toen was Lots vader dol op
haar. Maar sinds die tweeling hier woont, is er niks
wat Lot nog goed kan doen. Altijd zegt haar vader:
'Leek jij maar meer op Ellie en Nellie.'

Jasses. Lot zou de tweeling te pakken willen nemen,
maar ze durft niet. Geen kind in de buurt durft dat.
Erge Ellie en nare Nellie zijn sterk en gemeen.
En toch kan het zo niet doorgaan, er moet een einde
aan komen. Maar hoe?

Tom

Tom speelt in zijn straat. Het is mooi weer. Zijn
moeder is er ook. Ze zit op een bankje voor de deur
en praat met een vriendin.
'Kom je dinsdag ook op mijn feest?' vraagt ze.
'Ben je dan jarig?' vraagt de vriendin.
'Nee hoor,' zegt moeder. 'Ik heb zomaar zin in een
feest. Er is taart en wijn, en ik wil veel cadeaus.'
'Leuk,' zegt de vriendin. 'Ja hoor, ik kom ook.'
Tom grinnikt. Zijn moeder doet dit wel vaker. Dan
heeft ze ineens zin in een feest, terwijl er niks te
vieren is. Gekke moeder! Maar Tom moet nog wel
een cadeautje kopen. Straks zal hij dat doen. Hij heeft
zijn spaargeld al in zijn zak.
'Wie komen er nog meer?' vraagt de vriendin.
'De hele buurt,' zegt moeder. 'Ach, kijk! Kijk eens
wie daar zijn. De tweeling Smit!'
Tom kijkt op.
'Joehoe, Ellie en Nellie!' roept moeder. 'Kom eens
hier!'
'Dag mevrouw,' zegt de tweeling beleefd. 'Dag lieve
Tom.'
Ze zien er weer schattig uit, lief en mooi en zoet.
Maar Tom trapt daar niet in.

'Dinsdag is er een groot feest,' zegt moeder. 'Jullie mogen ook komen.'

'Wat lief van u, mevrouw,' zegt Ellie.

'Wij komen graag,' zegt Nellie.

'Zijn ze niet enig?' vraagt moeder.

'Nou en of,' knikt de vriendin. 'En ze doen zo hun best op school. Altijd tienen, nooit zijn ze stout.'

Getver! denkt Tom. Wat zijn grote mensen toch oliedom. Ze lijken wel blind.

'Fijn, schatten,' zegt moeder. 'Willen jullie nu met Tom spelen?'

'Ja hoor,' zegt de tweeling.

Geen sprake van! denkt Tom.

Hij zegt: 'Nee, dat kan niet. Ik moet weg, ik ga iets
kopen voor je feest.'

'O ja?' vraagt moeder. 'Wat spannend.'

'Zullen wij meegaan?' biedt Ellie aan.

'Ja, wij gaan mee,' zegt Nellie.

'Nee, ik ga alleen,' zegt Tom.

'Tom!' roept moeder uit. 'Neem die lieve Ellie en
Nellie mee.'

'Ik wil niet dat ze meegaan,' zegt Tom. 'En ze zijn niet
lief. Dat denk je wel, maar het is *niet* zo.'

'Tom, hou op!' zegt moeder boos.

'Ja, wat een onzin,' zegt de vriendin.

Tom wordt steeds kwader. 'Weet je wel wat ze
hebben gedaan?'

Hij vertelt over Bas en Lot. Dat kan hij beter niet
doen, niet met die tweeling erbij. Hij weet dat ze dan
wraak zullen nemen. Maar hij is veel te kwaad.

Ellie en Nellie zeggen niks. Ze lachen nog steeds lief.
Maar moeder zegt wél wat. 'Tom, hou op met die
onzin. Ik geloof er geen woord van. Toe, neem Ellie
en Nellie mee.'

'Nee!' schreeuwt Tom en hij rent weg.

De tweeling komt achter hem aan. 'Wij gaan mee,
lieve Tom. We zijn niet boos op je, hoor.'

Tom holt de hoek om. De twee meisjes ook. En dan
wordt alles anders...

'Staan blijven!' roept Ellie.

'Hier komen!' brult Nellie.

Tom wil ervandoor gaan, maar de tweeling haalt hem in.

'Wacht even, zus,' zegt Ellie. 'Eerst kijken of alles veilig is.'

Nellie kijkt. 'Alles kits,' zegt ze. 'Er zijn geen grote mensen.'

'Mooi zo.'

Dreigend kijken ze naar Tom. Hun glimlach wordt een valse grijns, hun nagels scherpe klauwen.

'Zo, nu zijn we alleen,' zegt Ellie. 'Klikken tegen je moeder, hè. Gemene dingen over ons zeggen. Dat is niet slim van je, jochie.'

Nellie slaat Tom hard op zijn hoofd. 'Wat voor boodschap wou jij doen? Een cadeau kopen voor je moeder? Waar is je geld?'

'Ga weg,' zegt Tom doodsbang. 'Laat me met rust.'

'Hier met dat geld,' zegt Ellie.

Tom weet dat er niks anders op zit.

Bevend geeft hij ze zijn geld.

'Laat me nu gaan,' smeekt hij.

'Niks ervan,' zegt Ellie.

'Je hebt geklikt,' zegt Nellie. 'En nu krijg je straf.'

Beschermend vouwt Tom zijn armen om zijn hoofd. 'Ga weg, laat me gaan.'

Maar Ellie en Nellie gaan niet weg. Ze slaan, ze schoppen. Ze krabben, ze bijten.

Huilend valt Tom op de grond.

'Ziezo,' zegt Ellie tevreden. 'Laat dit een lesje voor je zijn. Kom zus, we gaan.'

Tom blijft op de grond liggen. Het is genoeg, het is meer dan genoeg. Dit moet ophouden.

Kreunend krabbelt hij op. Het doet pijn, zo'n pijn.

Hij gaat niet naar huis terug. Nee, hij gaat op zoek naar Bas en Lot. Want zij willen wat hij wil. Wraak op de tweeling!

Het plan

Daar zitten ze dan, Bas, Lot en Tom, op zolder in het
huis van Bas. Wat zien ze eruit! Blauwe plekken op
hun armen, bulten op hun hoofd, rode striemen op
hun gezicht. Woedend zijn ze, woedend op de
tweeling. Maar ook op hun vaders en moeders.
Vroeger waren ze aardig, vroeger was alles prettig.
Maar nu! Waarom luisteren ze niet? Waarom
geloven ze hen niet?

Die tweeling moet een lesje krijgen. Maar hoe? Tegen ze vechten kan niet, dat durven de kinderen niet. Ze zijn niet sterk en gemeen genoeg, en hulp van de grote mensen krijgen ze niet. Die willen niet zien hoe de tweeling echt is. En toch kan het zo niet langer. Somber zitten de drie bij elkaar.

'Mijn moeder is bijna jarig,' zegt Bas, 'maar ik heb geen zin in een feest. Ik ben veel te kwaad.'

'Mijn moeder geeft ook een feest,' zegt Tom, 'en ik heb er ook geen zin in. Ze wil een cadeau, maar raad eens wie mijn geld heeft?'

'Dan komen er dus *drie* feesten,' zegt Lot. 'Bij ons thuis ook. Ze zijn tien jaar getrouwd. Hé! Wacht eens even.'

Lot staat op. Ze ijsbeert heen en weer op zolder. Haar ogen glimmen.

'Drie feesten,' mompelt ze. 'Misschien... ja!'

'Wat is er?' vraagt Bas.

Lot grinnikt. 'Jongens, luister,' zegt ze. 'Ik heb een plan, een prachtig plan.'

De volgende dag

'Mam,' zegt Bas, 'ik moet even weg.'

'Waar ga je heen?' vraagt zijn moeder.

'Dat kan ik niet zeggen. Het is geheim.'

'Geheim?'

'Ja. Je bent toch bijna jarig? Daar moet ik even iets
voor doen. Maar je mag niet weten wat, anders is het
geen geheim meer. Dag mam, tot straks.'

En weg is Bas.

Zijn moeder kijkt hem na.

Een geheim omdat ik bijna jarig ben? denkt ze. Daar
moet ik meer van weten...

'Dag pap,' zegt Lot, 'ik moet even weg.'

'Wat ga je doen?' vraagt haar vader.

'Kan ik niet zeggen, pap.'

'Waarom niet?'

'Er komt toch een feest omdat jullie tien jaar
getrouwd zijn?'

'Klopt,' zegt vader.

'Nou, daar moet ik iets voor doen. Maar je mag
niet weten wat, want het is nog geheim. Dag
pap.'

En weg is Lot.

Een geheim voor het trouwfeest? denkt haar vader.
Daar moet ik meer van weten...

'Waar ga je heen, Tom?'
'Even weg, mam.'
'Waar naartoe?'
'Mag je niet weten. Het is voor je feest. Ik ga iets heel
leuks doen. En meer zeg ik niet, anders verklap ik
alles. Dag mam.'
Zijn moeder kijkt hem na.
Gaat hij iets leuks doen voor mijn feest? denkt ze.
Daar moet ik meer van weten...

Betrapt

Bas zit in het park, op een grasveld tussen struiken.
Naast hem staat een grote, bruine doos. Bas is hier
nog maar net. Eerst liep hij door de straat van de
tweeling Smit, langzaam, alsof hij niet bang was.
Toen ging hij naar het park.
Ah, daar is Lot ook. Ze sjouwt een groene tas mee.
Die tas ziet er vol en zwaar uit.
'Dag Bas,' zegt ze luid, 'daar ben ik dan.'
'Dag Lot,' zegt Bas hard.
Ze kijken om zich heen. Overal zijn struiken. Je kunt
je daar goed verstoppen.
'Jongens!' roept iemand. 'Waar zitten jullie?'
'We zijn hier, Tom!' roept Lot.
Tom heeft een grijze zak bij zich. Ook die ziet er vol
uit. 'Zo, daar zijn we dan,' zegt hij. 'Op onze geheime
plek, met onze geheime spullen.'
'Ja,' zegt Bas, 'eindelijk alleen.'
Er ritselt iets in de struiken.
Lot knipoogt naar de jongens. 'Hebben jullie de
spullen bij je?' vraagt ze.
'Ja, ik heb alles bij me,' zegt Tom.
'Ik ook!' schreeuwt Bas. 'Het is veel geld waard. Als
er maar niks mee gebeurt.'

'Wees maar niet bang,' zegt Lot. 'Niemand weet waar we zijn. Hier kunnen we veilig over ons geheim praten.'

Maar...
Er gebeurt iets in de struiken. Takken kraken, bladeren worden opzij geduwd. En daar springen ze tevoorschijn, erge Ellie en nare Nellie.
'Halt, staan blijven!' gilt Ellie.
'Verroer je niet!' brult Nellie. 'Anders krijg je ervan langs.'

'Wat doen jullie daar?' vraagt Ellie. 'Wat hebben jullie daar?'

Lot moet een beetje lachen, maar ze laat het niet merken. Op bange toon zegt ze: 'Ga weg. Laat ons nou eens met rust.'

'Niks ervan,' zegt Ellie. 'Wat zit er in die doos?'

'En in die tas?' wil Nellie weten. 'En in die zak?'

'Spullen,' zegt Bas.

'Wat voor spullen?'

'Gaat je niks aan,' zegt Tom. 'Ze zijn voor het feest van mijn moeder.'

'En van mijn moeder,' zegt Bas.

'En voor het feest bij ons,' zegt Lot.

Nellie lacht gemeen. 'Haha, mooi niet. Kom op met die spullen.'

'En gauw een beetje,' zegt Ellie, 'anders slaan we je weer in mekaar.'

'Nee!' zegt Tom. 'Je krijgt ze niet. Laat ons gaan.'

'Doe wat we zeggen,' snauwt Nellie. 'Denk maar niet dat we je laten gaan. En niemand zal je komen helpen, want er zijn lekker geen grote mensen.'

'Nee!' roept Lot uit. 'Help!'

'Gil maar,' zegt Nellie. 'Niemand kan je horen, alleen wij.' Ze grijpt Lot vast. 'Hier met die tas!'

Ellie gooit Bas op de grond. 'Die doos is voor ons!' zegt ze.

Tom wil wegrennen, maar Ellie steekt een been uit.

Tom valt boven op de volle zak.

Nellie zegt: 'Mooi zo, zus. We zullen ze flink te pakken nemen. We zullen ze...'

Meer kan ze niet zeggen, want ineens ritselt er weer iets in de struiken.

Bas kijkt op. Hij ziet een arm en een hoofd. Het is het hoofd van zijn moeder. Ze zit op haar hurken achter een struik.

En daar is ook de vader van Lot. En de moeder van Tom. Alledrie zaten ze in de struiken, maar nu komen ze naar voren.

'Wat is hier aan de hand?' vragen ze.

'Het is een valstrik, zus,' zegt Nellie. 'Wegwezen!'

'Staan blijven!' brult Lots vader. Hij rent achter de twee aan en pakt ze bij hun kladden.

'Laat me los!' krijst Nellie. Wild trapt ze om zich heen.

'Blijf van me af, rotvent!' gilt Ellie. Ze spuugt naar Lots vader.

De moeder van Bas zegt: 'We hebben alles gezien. Wat zijn jullie gemeen, zeg. Onze kinderen slaan en schoppen, durven jullie wel?'

De moeder van Tom is woedend. 'Dus jullie zijn helemaal niet lief. Jullie zijn krengen, gemene krengen.'

'Hou je bek, stom wijf,' snauwt Nellie.

'Nog brutaal ook,' zegt Lots vader.

Bas, Tom en Lot zijn bij elkaar gaan staan. Blij kijken
ze elkaar aan. Hun plan is gelukt.

'Als dit nog één keer gebeurt,' zegt Lots vader, 'dan
krijg je toch een pak slaag van me.'

'En van mij,' zegt de moeder van Bas.

'En van mij ook,' zegt de moeder van Tom. 'En maak
nu dat je wegkomt.'

Lots vader laat de tweeling los. Zo gauw ze kunnen
rennen Ellie en Nellie weg.

Eind goed, al goed?

Even zegt niemand iets.

Dan begint Lots vader: 'Eh... we geloofden jullie niet.
We dachten dat die tweeling echt lief was. Dom van
ons. We waren niet zo aardig, hè?'

'Het spijt ons,' zegt de moeder van Tom.

En de moeder van Bas zegt: 'We waren net op tijd, ik
ben blij toe. Kom maar mee naar huis, alles is nu
weer goed.'

Maar Bas zegt: 'Alles weer goed? Nou nee, mam. Wat
deed jij in de struiken?'

'Ja pap, en jij?' wil Lot weten.

'En wat deed jij daar eigenlijk, mam?' vraagt Tom.

De drie grote mensen zijn stil.

'Nou, zeg op,' zegt Lot streng.

'Eh...' begint haar vader, 'eh...' Hij krijgt een kleur.

'Je zat te gluren,' zegt Lot. 'Je wou weten wat mijn
geheime plan voor je feest was.'

'Ja mam, en jij ook,' zegt Bas. 'Bah, wat flauw van je.
Kon je niet wachten tot je jarig bent?'

'En jij net zo goed, mam,' zegt Tom. 'Ik ben blij toe
dat die tweeling er was. Nu hebben we jullie betrapt.'

De drie grote mensen zijn nu vuurrood.

'Eh...' stottert de moeder van Tom. 'Je hebt gelijk, ik

geef het toe. Maar ik vond je geheim zo spannend.'

'Ja, ik ook,' zegt de moeder van Bas. 'Ik wou zo graag weten wat je ging doen.'

'Niet kwaad zijn,' zegt Lots vader. 'We zullen het goedmaken.'

'O ja, hoe dan?' vraagt Lot.

'Ga mee naar huis,' zegt haar vader, 'dan krijg je iets lekkers.'

'Ja,' zegt de moeder van Bas. 'Jullie mogen alledrie met mij mee. Dan krijgen jullie taart en lees ik wat voor.'

'Ik ook,' zegt de moeder van Tom.

'Ik ook,' zegt Lots vader. 'We doen alles wat jullie willen, als je maar niet meer boos bent.'

'Hm,' zegt Bas. 'Ik wil vandaag laat opblijven.'

'De hele week!' zegt Tom.

'We zullen zien,' zegt zijn moeder.

Blij lopen de kinderen met hun ouders mee. Alles is goed gegaan.

41

Slot

'Maar, eh...' zegt de moeder van Bas, 'wat was nou
jullie geheim? Wat zit er in die doos?'
Bas kijkt Lot en Tom aan. 'Zullen we het laten zien?'
Tom aarzelt. 'Oké dan.'
Bas doet de doos open. Er zitten proppen papier in:
oude kranten en verder niets. Ook in de tas van Lot
zit oud papier, net als in de zak van Tom.
'Is dát het geheim?' vraagt zijn moeder.
De drie kinderen lachen.
'Wacht eens even,' zegt Lots vader. 'Ik begrijp het,
geloof ik. Er wás geen geheim, het was een valstrik.
Wat sluw van jullie, maar ook een beetje gemeen.'
'We moesten wel,' zegt Lot. 'Anders zouden jullie
nooit naar ons hebben geluisterd.'
Haar vader kijkt haar lang aan. 'Je hebt gelijk,' zegt
hij. 'Voortaan zullen we luisteren.'
Hij geeft Lot een hand. 'Kom op, ik heb trek in taart.'
Tevreden lopen de zes naar huis.

De wraak van Ellie en Nellie

Deur op slot

Er rijdt een zwarte auto door de stad.
Voor de auto rijdt een motor en op die motor zit een
agent. Achter de auto rijdt nog een agent. Langs de
weg staan veel kinderen. Bas en Lot en Tom en... nou
ja, de hele buurt.
Ze joelen als de auto langskomt. 'Weg met Ellie en
Nellie!'
De auto rijdt een smalle straat in. Daar stopt hij. De
agenten stoppen ook. Een deur van de auto gaat
open. Twee meisjes stappen uit, twee kleine, blonde
meisjes. Ze hebben roze jurkjes aan en strikken in
hun haar.
'Gauw naar binnen!' zegt een agent. 'En morgen op
tijd klaarstaan!'
De meisjes gaan een huis in. De auto rijdt weg, de
agenten ook.

'Bah! Bah!' Kwaad lopen Ellie en Nellie door de
gang.
'Ah, daar zijn jullie,' zegt moeder. 'Was het fijn op
school? Ga vlug naar je kamer.'
Grommend doen de meisjes wat ze zegt. Ze gaan hun
kamer in. De deur valt meteen dicht.

Op de gang doet moeder hem op slot. 'Maak jullie
huiswerk maar!' roept ze.
Ellie en Nellie smijten hun tas neer. Met een zucht
gaan ze zitten.
Dat was het dan weer. Ze zijn weer naar school
geweest. Elke dag gaat de tweeling daar met de auto
heen en altijd is er politie bij. Zonder politie erbij
mogen ze de straat niet meer op. Dat komt door wat
er vroeger is gebeurd. En na school moeten ze
meteen naar hun kamer. Elke dag.
Ellie staat op van haar bed en loopt naar het raam.
Door de tralies kijkt ze naar buiten.
'Rotschool,' zegt ze.
'Rotjuf,' zegt Nellie.
'Rot iedereen!' zegt Ellie.

Het hek

Ellie en Nellie zijn op school. Hun tafel staat in een
hoek van de klas. Er staat een groot hek omheen. Ze
zitten in een soort kooi, want daar kunnen ze geen
kwaad.
Het is een reuzeherrie in de klas. De juf is naar de wc.
Kinderen zitten op tafels en staan op stoelen. Ze
steken hun tong uit naar de tweeling.
'Kijk eens wat ik heb,' zegt Bas. Hij houdt een zak
drop omhoog.
'Lekker!' roept de hele klas.

Bas deelt drop uit. Hij komt ook naar de kooi toe. 'Ellie en Nellie?' vraagt hij lief. 'Willen jullie een dropje?'

'Ja!' snauwt Ellie.

'Geef hier die drop,' zegt Nellie.

'Niks ervan,' zegt Bas.

'Jullie krijgen niks,' zegt Tom. 'Jullie hebben al drop genoeg gehad, vroeger, toen jullie alles pikten.'

Hij weet nog goed hoe dat was. Wat was hij bang voor ze! Wat heerlijk dat dat nu voorbij is.

Achter in de klas staat Lot. Ze heeft geld bij zich dat ze voor haar verjaardag heeft gekregen. Het is bij elkaar wel tien gulden. Ze laat het aan iedereen zien. Met grote ogen kijken Ellie en Nellie toe. O, waren die tralies er maar niet. Konden ze maar bij dat geld. Ze zouden het meteen afpakken.

'Wacht maar tot we vrij zijn!' gillen ze.

De klas moet erom lachen. Dan gaat iedereen vlug zitten, want de deur gaat open.

Gauw gooit Bas twee dropjes door het hek, want een béétje zielig vindt hij de tweeling wel.

'Zo, klas,' zegt de juf, 'we gaan verder met de les.'

's Middags zijn Ellie en Nellie weer thuis. De deur van hun kamer is op slot. Kwaad zitten ze op hun bed. Wat was het erg op school! Die stomme, stomme kinderen. Ze willen ze te pakken nemen. Wraak, ze willen wraak!

Maar ja... geen schijn van kans. Al die hekken. En al die grote mensen. Waren die hekken maar weg. En de grote mensen ook. Dan konden ze...

Wacht eens! denkt Nellie. Ze grijnst.

'Luister, zus,' zegt ze, 'ik heb een idee.'

'Wat voor idee, zus?' vraagt Ellie.

Nellie komt dicht naast haar zitten. 'Moet je horen...' begint ze.

Lief

'Ellie en Nellie! Kleed je aan! Pak je schooltas, doe je
jas aan! Het is acht uur, de politie komt zo en... Nee
maar, wat is dat nou? Jullie zitten al klaar. En wat
zien jullie er mooi uit!'
Moeder heeft gelijk. Ellie en Nellie zitten klaar voor
school en zien er prachtig uit. Ze hebben hun
mooiste jurk aan en lachen lief.
'Wat is er aan de hand?' vraagt moeder.
'Luister, mamma,' zegt Ellie. 'We hebben er zo'n spijt
van.'
'Spijt?' vraagt moeder.
'Ja,' zegt Nellie. 'Het is waar, we waren erg gemeen.
We hebben straf verdiend. Maar we vinden al die
hekken niet leuk. En de politie die meegaat naar
school. En dat onze kamer op slot moet. Maar we
snappen het wel. De hele buurt was bang voor ons.'
Wat krijgen we nu? denkt moeder.

Ook op school is ineens alles anders.
Ellie en Nellie zitten nog steeds in hun kooi, maar ze
kijken niet meer kwaad. Ze kijken nu sip. En ze doen
lief tegen de juf.
'Mogen we ù helpen, juf?' vragen ze.

Ellie zegt: 'Ik geef de planten water.'

Nellie zegt: 'Ik veeg het bord voor u schoon.'

'Dat zou ik fijn vinden,' zegt de juf. 'Maar ja, het kan niet. Het hek mag niet open voordat de politie er is.'

'O juf!' roepen Ellie en Nellie uit. Ze huilen hard. 'We hebben zo'n spijt.'

Ik geloof mijn oren niet! denkt de juf. Wat is er met Ellie en Nellie? Zo lief doen ze nooit. Zou het echt waar zijn, zouden ze spijt hebben? Dat zou heerlijk zijn. Maar nee, het kan heus niet. Het hek mag niet open. Je weet maar nooit wat er dan gebeurt.

'O juf!' roepen Ellie en Nellie weer. Snikkend gaan ze aan hun tafel zitten.

Zo gaat het een paar dagen door. De boze Ellie en Nellie zijn weg, ineens zijn ze weg. De tweeling doet nu zo anders, zo vreemd anders. Ze zijn lief tegen de juf, ze zijn lief tegen de klas. Ze doen zelfs lief tegen de politie.

De juf snapt er niet veel van, maar fijn vindt ze het wel.

Wat is het eigenlijk akelig, denkt ze. Ze zitten nu al zo lang in die kooi. Nooit mogen ze gewoon spelen. Vroeger kon dat niet, want dan sloegen ze er meteen op los. Maar nu... nu ze zo anders zijn...

Weet je wat? Ik ga naar hun moeder toe.

De juf en moeder praten lang.
Af en toe kijken ze naar Ellie en Nellie.
Die zijn in de keuken en doen de afwas. Daarna
maken ze de keuken schoon, want hun huiswerk is
al af.
Even later gaat de juf weg.
Moeder komt naar Ellie en Nellie toe. 'Ik weet iets
leuks,' zegt ze. 'Jullie zijn zo lief geweest, daarom

mogen jullie even naar buiten. Een uurtje vrij kan geen kwaad. We zullen zien of het goed gaat.'
En zo gebeurt het. Ellie en Nellie mogen buiten spelen. Een uurtje, zomaar op een vrijdag.
De hele buurt weet het. En bijna niemand vertrouwt het. Ramen gaan dicht, deuren gaan op slot, kinderen kruipen onder hun bed. Grote mensen gluren door hun brievenbus. Ze houden die twee in de gaten. O wee, als ze iets gemeens van plan zijn!
Maar Ellie en Nellie doen niets gemeens. Hand in

hand lopen ze door hun straat. Ze gaan het park in.
Braaf voeren ze de eenden, lief lopen ze weer verder.
Langs winkels en het postkantoor en daarna langs
het ziekenhuis. Daar zwaaien ze naar de zieke
mensen. En dan gaan ze weer terug naar huis.
'Prachtig!' zegt moeder. 'Wat waren jullie lief. Over
een poosje mag het nog eens, dan mogen jullie weer
naar buiten.'
'Dank u, mamma,' zegt Ellie.
'Nu gaan we weer naar onze kamer,' zegt Nellie.
'Goed zo,' zegt moeder. 'En weet je wat? Ik doe de
deur vandaag niet op slot. Hoe vinden jullie dat?'
'Fijn, mamma,' zegt Ellie.
'Lief van u, mamma,' zegt Nellie.
Met een glimlach doet moeder de deur dicht.
Maar zodra moeder weg is, gebeurt het. Ellie's
glimlach wordt een valse grijns. Nellie wrijft in haar
handen. Nou ja, handen... het zijn ineens klauwen!
'Haha, gelukt,' fluistert ze.
'Alles gaat volgens plan,' zegt Ellie. 'We zullen ze
krijgen! We stampen ze plat, we knijpen ze fijn.'
'Jááá!' zegt Nellie. 'Het gaat zoals we willen. Onze
wraak zal zoet zijn, hahaha!'

Bas

'Bas! Kijk jij even of de post er al is?'
'Ja mam, meteen.'
Bas loopt het tuinpad af. Hij haalt de postbus leeg.
Een dikke stapel folders. Een brief voor zijn moeder.
Een kaart van zijn vader, die op reis is.
Zijn moeder zit in de tuin te zonnen. Naast haar zit
opa in zijn rolstoel.
Opa woont bij hen. Hij is oud en heeft hulp nodig.
Lopen kan hij niet meer. Als hij praat, klinkt het als
gekraak. Opa is lief, maar heel erg oud, te oud om
met Bas te spelen.
'Wat leuk, een brief,' zegt moeder.
Ze scheurt hem snel open.
Opa grijpt naar een folder.
Hij wil zeker plaatjes kijken.
'Ach, wat enig!' zegt moeder. 'Ik kom op de tv.'
Bas kijkt verbaasd op. 'Op de tv?'
'Ja, ik mag meedoen aan een quiz. Wat leuk, pappa
had een brief gestuurd. Dat wist ik niet eens.'
'Wanneer is het?' vraagt Bas.
Moeder bekijkt de brief nog eens goed. 'O help,
vandaag al! Wat spannend. Ik ga me meteen
opmaken. Pas jij op opa als ik weg ben?'

Lot

Tik, stap, tik, stap. Daar loopt de tante van Lot door
de kamer.
Tik, stap, tik, stap. Ze heeft maar één been en loopt
met stokken.
Lots vader kijkt bezorgd naar haar. 'Gaat het, Miep?'
vraagt hij.
'Och,' zegt tante Miep. 'Was ik maar dood.'
'Kom nou!' zegt Lots vader. 'Zo mag je niet praten
hoor, zusje. We vinden het fijn dat je bij ons bent. We
zorgen graag voor je, hè Lot?'
'Tuurlijk,' zegt Lot. 'Ik blijf vandaag bij tante Miep.'
'Goed zo,' zegt vader. 'Jammer dat ik vandaag weg
moet, net nu het zo'n mooie dag is. Maar ja, ik moet
de stad uit. Heerlijk, dat ik mag meedoen aan een
quiz op de tv. Dat heb ik altijd al gewild. Ik heb
honderden kaartjes opgestuurd. En nu kreeg ik
zomaar ineens die brief. Eindelijk.'
'Ga maar gerust, pap,' zegt Lot.
'Ik zorg voor tante Miep.'

Tom

'Tom, ruim je speelgoed nou eens op! Het is hier toch
al zo'n rommel. En ik moet zo weg.'
Moeder heeft gelijk. Het is een rommel in de kamer.
Maar het is er ook zó vol. Dat komt door de twee
bedden die midden in de kamer staan. In die bedden
liggen opa en oma. Al drie jaar liggen ze in bed, bijna
nooit komen ze eruit.
Eerst woonden ze in hun eigen huis en elke dag ging
moeder naar hen toe. Maar dat werd te druk voor
haar en daarom wonen opa en oma nu bij Tom thuis.
'Klaar, Tom?' vraagt moeder.
'Bijna, mam,' zegt Tom.
Moeder heeft haar jas al aan. 'Wat denk je, Tom?'
vraagt ze. 'Zou ik winnen?'
'Ik hoop van wel,' zegt Tom.
'Ik vind het wel eng, hoor,' zegt moeder. 'Zomaar op
de televisie! En dan nog wel in een quiz! Het komt
vast door de buurvrouw. Zij heeft natuurlijk de tv
opgebeld. Echt iets voor haar. Hoe zie ik eruit, Tom?'
'Prachtig, mam,' zegt Tom. 'Ga maar gauw. Ik blijf bij
opa en oma.'
'Goed zo,' zegt moeder. 'Je bent een lieve jongen.'

In de hele buurt gaat het zo. Alle vaders en moeders
krijgen post, allemaal mogen ze meedoen aan de
quiz.
Het is die middag een hele drukte op straat. Alleen de
opa's en oma's blijven achter, en de zieken en de
kinderen.
'Dag hoor!' roepen de vaders.
'Pas goed op opa en oma!' zeggen de moeders. 'En
kijken, hoor, als ik op de tv ben!'

Ook de ouders van Ellie en Nellie gaan weg. Zij kregen geen brief, ze gaan gewoon een dagje uit.

'Een goed idee van jullie,' zegt vader. 'En het kan best, jullie zijn zo lief geweest. Jullie mogen best een dag alleen zijn.'

'Dank u, pappa,' zegt Ellie.

'Veel plezier, mamma,' zegt Nellie.

En daar gaan vader en moeder. De kamer van de tweeling hoeft niet op slot, dan kunnen ze zelf hun eten pakken. En ach, de meisjes zijn nu zo braaf, het kan vast geen kwaad.

Ellie en Nellie komen bij de deur staan.

'Dag lieve pappa en mamma, tot gauw! Dag! Dááág!'

Dat is één

Bas zit thuis en verveelt zich. Zijn opa zit in zijn rolstoel te dutten in de zon. Bas kijkt door het raam naar hem. Jammer dat opa zo oud is. Nooit speelt hij met Bas.

Bas zou het wel willen, hoor. Spelen met opa zou leuk zijn. Rover of indiaan of zo. Vader en moeder hebben nooit tijd. En opa is de hele dag thuis.

Maar het mag niet van moeder. 'Opa is te oud en te moe,' zegt ze altijd. 'Hij wil dat je hem met rust laat.'

Ja, echt jammer.

Maar wat nu? Wat zal Bas eens gaan doen? Naar het park gaan? Misschien zijn Tom en Lot daar. Bas en zij spelen er graag.

Vroeger niet, toen kon dat niet. Toen waren Ellie en Nellie nog vrij. Die zaten vaak in het park. Ze kropen in de struiken. Dan wachtten ze tot er een kind langskwam. En dan sprongen ze tevoorschijn.

'Staan blijven!' gilden ze. 'Hier met je centen! Kom op met je snoep!'

Wie niet meteen alles aan hen gaf, kreeg klappen. Maar dat gevaar is nu voorbij.

Bas trekt zijn schoenen aan. Hij kijkt naar opa, die
nog steeds slaapt. Hij kan hem best even alleen laten.
Moeder zal het niet merken, want zij komt nog lang
niet thuis.
Even later loopt Bas op straat. Hij heeft een briefje
achtergelaten. Zo weet opa waar hij is.
Wat is het stil op straat. Er is niemand te zien. Zouden
Tom en Lot al in het park zijn? Ja, ze zijn daar vast al.
Vrolijk loopt Bas zijn straat uit.

'Daar gaat de eerste, zus!' roept Ellie. Ze zit op het
dak. Vandaar kijkt ze uit over de buurt. In de verte
ziet ze Bas lopen.
'Hij gaat naar het park!' roept ze.
'Mooi zo!' roept Nellie terug. Zij zit op zolder en
rommelt in een berg spullen. Ah, daar heeft ze wat ze
zocht. Een touw, een lang, stevig touw.
'Kijk uit dat hij je niet ziet!' roept ze. 'Anders mislukt
ons plan.'

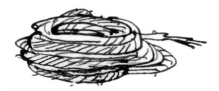

Dat is twee

Een quiz! denkt Lot. Stel je voor dat haar vader wint.
Misschien krijgt hij dan een reis cadeau, dat lijkt haar
heerlijk. Vader en zij gaan nooit een dag weg.
Dat komt door tante Miep. 'Die kan dat niet,' zegt
vader altijd. 'Ze heeft maar één been, die arme tante
Miep. Nee hoor, we blijven thuis, anders is tante
Miep alleen.'
Lot zit nu voor de deur van haar huis. Tante Miep is
in haar kamer. Lot heeft zin om te spelen. Maar er is
niemand te zien, de straat is leeg.
Waar zou Bas zijn? denkt ze. En Tom? Misschien in
het park? Ja, Lot gaat naar het park. Niet lang hoor,
gewoon even spelen. Ze komt gauw terug en dan
past ze weer op tante Miep.
Even gaat Lot naar binnen. Ze luistert aan tante
Mieps deur. Er is niets te horen. Goed zo, Lot kan
gerust weg. Tante Miep zal het niet eens merken. Ze
pakt een bal en gaat op weg.

'Daar komt de tweede, zus!' roept Ellie.
'Mooi zo,' zegt Nellie vanaf de zolder. Ze zeult met
een groot vangnet en legt dat bij het touw.
'Alles kits boven?' vraagt ze.

'Ja zus, alles kits!'
Ellie zit achter de schoorsteen. Daar kan niemand
haar zien. Zij kan wél alles zien. Ze ziet dat Lot naar
het park loopt. Mooi, mooi, het gaat heerlijk. Nog
even en het is zover. Nog even en ze zitten in de val...

Dat is drie

'Opa, oma, ik ga even weg!'

'Weg?' vraagt opa. Hij ligt diep in de kussens, zoals altijd.

'Ja, ik ga naar het park,' zegt Tom. 'Ik wil met mijn vrienden spelen.'

Oma gaat rechtop in haar bed zitten. 'Wat gaan jullie doen?'

'Ik weet het nog niet,' zegt Tom. 'We spelen vaak voetbal. Of we vangen kikkers. Of we lezen strips.'

'Leuk!' zegt oma. 'Dat deed ik vroeger ook altijd.'

'Ik ook,' zegt opa. 'Ik ving dikwijls kikkerdril. Na een poosje werden dat visjes. Soms gingen die al gauw dood, maar soms ging het goed. Dan werden het kikkers.'

'Ja,' zegt oma. 'En ik was dol op voetbal.'

'Jij, oma?' vraagt Tom.

'Jazeker,' zegt oma. 'Ik was er beter in dan de jongens.'

'Wat leuk,' zegt Tom. 'Dat wist ik niet.'

Tom weet maar weinig van opa en oma. Hij praat haast nooit met ze. Ze liggen daar maar in bed, dag in dag uit. Saai hoor. Maar ooit was dat dus anders.

'Vroeger...' zegt oma.

'Ja, vroeger...' zegt opa. 'Waren we maar niet zo ziek. Arme wij!' Ze zuchten diep. 'Nou jongen, ga maar gauw. Veel plezier.'

'Dag oma, dag opa.'

Tom gaat naar het park. Maar hij voelt zich wel een beetje vreemd.

'Ik zie de derde!' roept Ellie. 'Die gaat ook naar het park.'

'Prima!' roept Nellie. 'Drie is genoeg.'

Op zolder is Nellie nog druk bezig. Ze heeft een grote rol plakband gevonden. 'Ik heb alles wat nodig is,' zegt ze. 'We kunnen op weg gaan. We zullen ze pakken, we zullen ze krijgen. We ~~vangen~~ ze met het net. We binden ze vast met het touw. En als ze gaan huilen...'

'Brandnetels in hun broek!' gilt Ellie.

'Jáááá!' zegt Nellie. 'Brandnetels in hun broek, hahaha!'

Het park

Tom loopt door het park. Het is er stil. Een eend
kwaakt in de vijver, een vogel tjilpt in een boom.
Maar er is geen mens te zien. Niet in het gras, niet bij
de zandbak. Geen Bas, geen Lot. Wat gek, waar
zouden ze zijn? Thuis waren ze ook al niet. Tom is bij
ze langs geweest.

Hij gaat een brug over. Daarna loopt hij een grasveld
op. Wat raar dat het zo vreemd stil is. Niemand laat
zijn hond uit, niemand zit bij de vijver. Waar is
iedereen?

Hé, hoort hij daar iets, daar in die struiken?

'Help!'

Zie je wel, hij hoort iets.

'Help, Tom!'

Is dat Lot, achter die struik?

Tom springt op en holt erheen. Hij buigt een tak opzij
en... nee maar! Daar zijn ze, Lot en Bas. Lot is met
een touw aan een boom vastgebonden, Bas zit
gevangen in een soort visnet.

'Wat is er met jullie?' roept Tom uit.

En op dat moment gebeurt het. Er springt iets zwaars
op zijn rug.

'Haha, ik heb je!'

En – 'Au!'– nog iets zwaars.

'Haha, ik heb je ook! We hebben jullie alledrie!'

Ellie en Nellie?

Ja, het zijn die twee enge meiden. Ze zijn weer vrij, wat erg!

Tom vecht om los te komen. Hij schopt en slaat. Maar Ellie en Nellie zijn te sterk. Voor Tom het weet, zit ook hij vast. Een touw om zijn armen. Een touw om zijn benen.

Bang kijkt hij naar Bas en Lot.

'Help!' roept Lot.

'Mamma!' gilt Bas.

'Laat ons gaan,' zegt Tom woest.

De tweeling schatert luid.

'Niks ervan!' zegt Ellie. 'Roep maar zo hard je kunt!'

'Niemand hoort je,' zegt Nellie. 'Die stomme vaders en moeders zijn weg, ver weg.'

Verbaasd kijkt Tom de tweeling aan. Ze hebben gelijk, de vaders en moeders zijn ver weg. Maar hoe weten ze dat?

'Snap je dat dan niet?' zegt Ellie. '*Wij* schreven die brieven.'

'Jááá!' zegt Nellie. 'We hebben ze weggelokt. Het is helemaal niet waar van die quiz. Eindelijk hebben we jullie te pakken en we laten jullie nooit meer gaan.'

'Nooit meer,' zegt Ellie. Ze giert het uit van plezier.

'W...wat gaan jullie doen?' stottert Bas.

'Je krijgt straf,' zegt Ellie.

'Heel veel straf,' dreigt Nellie.

'Maar waarom?' vraagt Lot.

'Omdat jullie stom zijn,' zegt Ellie. 'Die politie is jullie schuld! En dat hek ook. En dat onze kamer op slot moest ook.'

'Nee!' zegt Tom. 'Dat komt niet door ons. Het komt door jullie zelf, omdat jullie altijd zo gemeen zijn.'

'Kop dicht!' snauwt Ellie.

Lot trekt aan het touw. Bas rukt aan het net. Maar het helpt niets, ze zitten vast als vliegen in een web.

Ellie hurkt neer en plukt een brandnetel. Daarmee wrijft ze over Toms been. Heel langzaam, heel gemeen. Tom schreeuwt het uit.

Nellie vist een beest uit de sloot. Ze duwt het in Lots truitje. Het is ijskoud en glibbert. Lot gilt en beeft.

'En jij...' zegt Ellie tegen Bas.

'Ja, jij!' zegt Nellie. Woest komt ze op hem af. 'Jij krijgt...'

Tik, stap, tik, stap, piééép!

Ellie kijkt op. 'Ik hoor wat, zus. Wat is dat?'

Tik, stap, tik, stap, piééép!

Ook Nellie kijkt op. 'Ik hoor ook wat, zus. Ga kijken wat dat is.'

Een struik beweegt. Er komt iets uit tevoorschijn.

71

Een bed, een groot bed. Er ligt een oude man in.
Achter het bed loopt een oude vrouw. Zij duwt.
'Opa, oma!' roept Tom uit.
De struik beweegt weer. Nu verschijnt er een rolstoel.
In de rolstoel zit een man, erachter loopt een vrouw
met stokken.
'Opa!' roept Bas.
'Tante Miep!' zegt Lot.
'Wat is hier aan de hand?' vraagt de oma van Tom.
'Wat is dat voor touw? Wat is dat voor net?'
Boos kijkt ze naar de tweeling. 'Hebben jullie dat
gedaan?'
'Niet bang zijn, zus,' zegt Ellie. 'Het zijn ouwe
mensen.'
'Ja, zieke ouwe mensen,' zegt Nellie. 'Daar zijn we
niet bang voor. Ga weg, opoe!'
Pets! Keihard slaat tante Miep met haar stok op de
billen van Ellie. Ze geeft de rolstoel een duw. Die rijdt
met een knal tegen Nellie aan.
'Klein kreng, ik zal je!' roept de opa van Bas.
'We zijn niet bang voor jullie,' zegt Ellie. Maar ze
klinkt al wat zachter.
'Niet bang?' buldert een stem. Het is de opa van Tom.
Hij slaat de dekens opzij en springt zijn bed uit.
Opa uit bed! Dat heeft Tom nog nooit gezien.
Wat is hij groot en breed.

'Maak dat je wegkomt!'
Opa's stem dondert door het park.
Tante Miep zwaait met haar stok.
'Willen jullie nog zo'n tik?'
'Ik ben... heus niet bang,' zegt Ellie.
'Hè zus, wij zijn niet bang.'
Maar Nellie is er al vandoor. En twee tellen later rent
ook Ellie weg, zo snel en zo ver ze maar kan.

Een schop van oma

'Ziezo,' zegt tante Miep. 'Dat was geloof ik net op tijd.'
Ze bevrijdt de kinderen.
'Wie waren dat?' vraagt ze.
Lot vertelt haar alles.
Tom wrijft over zijn zere benen. Wat zat dat touw
strak!
'Doet het pijn, jongen?' vraagt zijn opa.
'Een beetje,' zegt Tom. 'Wat fijn dat jullie hier zijn.
Maar ik vind het wel raar. Jullie zijn ziek, wat doen
jullie hier?'
'Bah, Tom!' zegt oma. 'Je praat net als je moeder. We
hadden zin om uit te gaan. We wilden iets leuks gaan
doen.'
'Precies,' zegt opa. 'Dat komt door wat jij tegen ons
zei. We moesten aan vroeger denken. Toen kreeg ik
zo'n zin in kikkers vangen.'
'En ik in voetbal,' zegt oma.
'Zijn jullie dan niet ziek?' vraagt Tom.
'Dat wel,' zegt opa. 'Daarom namen we dit bed mee.
Om de beurt duwen we en om de beurt rusten we
even uit. Het is heerlijk om buiten te zijn. Van je
moeder mag dat nooit, die doet altijd zo bezorgd.
Maar zij is vandaag weg.'

'Precies!' zegt oma. Ze kruipt naast opa in bed. 'Nu moet ik even rusten,' zegt ze.

Tom grinnikt.

'Ik wou ook naar buiten,' zegt tante Miep. 'En toen kwam ik de opa van Bas tegen. Het is zo fijn hier, in het park.'

'Maar hoe kan dat nou?' zegt Lot. 'Je hebt maar één been!' Ze wrijft over haar polsen. Het touw zat erg strak.

'Nou en?' zegt tante Miep. 'Ja, ik heb maar één been. Maar verder is er niks mis met me. Ik vind het vreselijk dat ik van je vader altijd binnen moet blijven. Ik kan best nog lopen, al is het met stokken. Kijk maar! Het is niet makkelijk, maar het lukt me wel.'

Ze snuift diep. 'Hmmm, ruik die bloemen eens. Zalig!'

'En jij, opa?' vraagt Bas.

'Ach,' zegt opa. 'Die moeder van je is altijd zo bezorgd. Nooit mag ik eens mee. Ik zit maar in mijn rolstoel. Dan kijk ik door het raam naar buiten en dan voel ik me zo oud en op. Dan wil ik alleen maar slapen.'

Bas kijkt opa lang aan. Hij snapt wat opa bedoelt.

'Zullen we gaan spelen?' zegt hij.

'Jááá!' roepen de grote mensen.

'Eerst gaan we Ellie en Nellie zoeken,' zegt Lot. 'We
zullen ze krijgen.'

'Ho, wacht even!' zegt de opa van Tom. 'Je hebt
gelijk, ze deden heel lelijk. Geen wonder dat je iets
terug wilt doen. Maar doe dat nou niet.'
'Niet?' vraagt Tom.
'Groot gelijk, opa,' zegt tante Miep.
De kinderen zijn verbaasd.
'Luister nou,' zegt tante Miep. 'Ik snap die tweeling
wel een beetje. Vroeger waren ze erg gemeen, dat is
waar. Maar die straf was wel heel erg. Politie mee
naar school, hun kamer op slot, een hek om hun
tafel. Daardoor werden ze zo boos.'
'Het is net als met ons,' zegt oma. 'Nooit mogen we
uit en daar worden we nóg zieker van. Wees een
beetje lief tegen ze. Dan worden ze zelf ook liever. Je
zult zien dat het zo gaat.'
'Echt?' vraagt Bas.
'Probeer het maar eens,' zegt zijn opa.
'Goed dan,' zegt Tom. 'Maandag zien we ze op
school, dan doen we lief tegen ze. Maar nu... willen
we met jullie spelen.'
'En jullie ouders dan?' vraagt tante Miep.
O ja, hun ouders. Wat zullen die op hun neus kijken.
Geen quiz, geen prijzen.

'We kopen straks een taart voor hen,' zegt de opa van Bas. 'Een taart is ook een soort prijs.'

Iedereen juicht.

'Kijk eens wat ik heb,' zegt de opa van Tom. Hij haalt een schepnet uit zijn bed.

'Jippie!' roept Tom uit. 'We gaan kikkers vangen!'

'Van wie is die bal?' vraagt oma. 'Ik schop hem in één keer het park door.'

'Oma toch!' roept Tom uit. Hij valt op de grond van het lachen als oma de bal een keiharde schop geeft.

Wat een leuke ouwe mensen!

Ellie en Nellie in gevaar

De snoepjes van Wim

Aha! Kijk daar eens. Daar loopt een jongen in de
regen. Wim heet hij. Hij heeft een tas met snoep bij
zich. Dat heeft hij net gekocht en nu is hij op weg
naar huis. De snoepjes zijn voor de hele klas. Morgen
neemt hij ze mee naar school, want morgen is hij
jarig. Heel alleen loopt hij daar, verder is er geen
mens op straat.
Toch is Wim niet echt alleen. Er zijn twee meisjes die
naar hem kijken, twee leuke, blonde meisjes. Ze
hebben roze jurken aan en strikken in hun haar. Wie
die meisjes zijn? Het is de tweeling Ellie en Nellie.
Jawel, erge Ellie en nare Nellie.
Ze zitten voor het raam van hun kamer. Met grote
ogen kijken ze naar Wim.

81

Wat is hij klein, wat is hij nat. Ellie en Nellie likken hun lippen af. Ze willen Wim pakken, ze willen hem grijpen. Ze willen zijn tas vol met snoep. Dolgraag zouden ze dat willen.

Het zou ook best kunnen. Er is niemand op straat die het zal zien en hier in huis ook niet. Hun vader is naar zijn werk bij de spaarbank en hun moeder is ook niet thuis. Zij is naar een winkel in de stad. Wat een kans!

Maar... Ellie en Nellie doen het niet. Ze kijken naar Wim, ze trillen van de spanning. Hun handen worden klauwen, hun glimlach wordt een valse grijns. Maar ze blijven in hun kamer, braaf achter het raam. Want het mag niet.

Ze mogen niet pesten en pikken, nooit meer, al willen ze nog zo graag. Ze mogen het niet en ze doen het niet.

Dat komt door hun vader. Woedend was hij, toen hij van hun mislukte wraakplan hoorde.

'En nu is het uit!' brulde hij en hij sloeg met zijn vuist op tafel. 'Al dat pesten, al dat pikken! Leren jullie het dan nooit af? Nog één keer en er zwaait wat!'

'Wat dan?' vroegen Ellie en Nellie.

'Dan halen we jullie uit elkaar,' zei vader. 'Nellie gaat bij oma wonen en Ellie blijft hier. Dan zijn jullie niet meer samen, misschien dat jullie dan wat liever worden.'

Niet meer samen? Nellie naar oma? Maar die woont in Spanje!

'Nee!' riep de tweeling uit. 'We willen bij elkaar blijven. O, pappa, we zullen nooit meer gemeen zijn, echt niet.'

'Hm,' bromde vader. 'We zullen zien.'

Dus daar zitten ze nu, samen voor het raam, en Wim verdwijnt de hoek om.

Met een zucht loopt Ellie naar haar bed. Nellie ploft naast haar neer.

'Jammer, hè zus?' vraagt Ellie.

'Heel erg jammer,' knikt Nellie.

Ineens begint Ellie te huilen. 'O, zus!' zegt ze. 'Wat is het erg om braaf te zijn! Wat zijn we zielig.'

'Afschuwelijk zielig,' vindt ook Nellie. Snikkend verstopt ze haar hoofd in het kussen.

De kwade vrouw

De bel gaat. Er staat een vrouw op de stoep.
Vader doet open. Hij is net thuis van zijn werk.
Moeder is er nog niet, zij is nog steeds in de stad.
'Waar zijn ze?' vraagt de vrouw kwaad. 'Waar zijn
Ellie en Nellie?'
'Op hun kamer, hoezo?' wil vader weten.
'Het is weer zover,' zegt de vrouw. 'Mijn arme Wim!
Morgen is hij jarig. Een hele maand heeft hij
gespaard en van zijn eigen geld heeft hij snoep voor
de klas gekocht. En wat denk je dat er is gebeurd?
Ellie en Nellie hebben hem te pakken genomen. Wim
zit onder de blauwe plekken en zijn snoep is weg.'
'Ellie en Nellie?' vraagt vader. 'Weet u het zeker?'
'Natuurlijk,' zegt de vrouw. 'Zij zijn het toch altijd?'
'Dat is waar,' geeft vader toe.
'Die laffe meiden,' zegt de boze vrouw. 'Arme kleine
Wim.'
'Mevrouw,' zegt vader, 'het spijt me heel erg. Wim
mag nieuwe snoepjes kopen van mij, en Ellie en
Nellie geef ik ervan langs. Hier heeft u geld.'
'Goed zo,' zegt de vrouw.
Ze stopt het geld in haar zak. Daarna gaat ze weg.
De tweeling heeft alles woord voor woord verstaan.

Woest stampt vader de trap op.

'Ellie en Nellie!' brult hij. 'Is het weer zover? Jasses,
wat een rotstreek.'

'Maar pappa...' begint Ellie. 'Wij waren het niet.'

'Nee pappa,' zegt Nellie. 'Wij waren in onze kamer,
echt waar. Het was iemand anders.'

Vader schudt zijn hoofd. 'Ik geloof er geen woord
van. En je weet wat er nu gaat gebeuren. Ik bel
meteen oma op.'

Kwaad blijven Ellie en Nellie achter.

'Wat gemeen, hè zus?' zegt Ellie. 'We hebben niks
gedaan, en toch krijgen we de schuld. Wim liegt.'

'Bah!' zegt Nellie. 'Die stomme grote mensen. Ik heb
zin om ze in melkaar te slaan.'

'Nu gaat het gebeuren,' zegt Ellie. 'Nu moet jij bij
oma wonen en dan blijf ik hier alleen achter. Nu zien
we elkaar misschien nooit meer, de rest van ons
leven niet meer.'

'O, zus!' zegt Nellie. 'Ik wil niet bij je weg.'

Ze vallen elkaar in de armen.

'Arme wij!' roepen ze uit.

Wie?

Het is laat in de avond. Moeder is terug uit de stad.
Ook zij wist niet wat ze hoorde toen vader haar
vertelde wat er was gebeurd.
'Is het heus?' vroeg moeder. 'Meisjes toch! Wat
hadden jullie nou beloofd? Kan ik dan niet eens even
naar de stad?'
Boos zitten Ellie en Nellie aan tafel. Moeder zelf zit
op de grond. Ze stopt kleren in een koffer.
'Oude troep,' legt ze uit. 'Ik geef ze aan een goed
doel.'
'Het is niet waar,' gromt Ellie. 'Wij waren het niet.
Dat hebben we nou al tien keer gezegd.'

'Ik heb mijn moeder al gebeld,' zegt vader. 'Over een week breng ik Nellie naar Spanje.'

'Nee!' roept Nellie uit. 'Ik wil niet naar oma.'

'We willen bij elkaar blijven!' snikt Ellie.

De twee meisjes grijpen elkaar vast.

Ook moeder kijkt bezorgd. 'Moet Nellie echt bij ons weg?' vraagt ze. 'Voor altijd? Jasses, wat akelig. Leefden míjn vader en moeder nog maar. Zij woonden dichtbij en niet helemaal in Spanje.'

'Ja, het is niet leuk,' zegt vader. 'Maar er zit niks anders op.'

'Je hebt gelijk, Henk,' zegt moeder. 'En toch vind ik het naar.' Ze heeft tranen in haar ogen.

Vader ook. Toch zegt hij streng: 'Naar bed, jullie, en gauw een beetje! Over een week gaat Nellie weg. Tot die tijd blijven jullie in je kamer. Ik zal een briefje aan de juf schrijven, want naar school mogen jullie ook niet meer. Dat is veel te gevaarlijk voor de andere kinderen.'

Ellie en Nellie kruipen in bed, maar ze doen geen oog dicht. Stil liggen ze naast elkaar.

Ineens gaat Ellie rechtop zitten. 'Wacht eens!' zegt ze. 'Wims snoep is dus gepikt. Iemand heeft dat gedaan.'

'Ja, maar wie?' zegt Nellie.

'Daar moeten we achter komen en dan vertellen we
het aan pappa. Dan is hij niet meer boos op ons, en
mamma ook niet. Dan mogen we bij elkaar blijven.'
'Je hebt gelijk, zus,' zegt Ellie. 'We moeten op
onderzoek uit.'

Weg van huis

De volgende dag. Het is vroeg in de middag. Een
raam schuift open, een hoofd gluurt naar buiten.
'Is de kust veilig, zus?' vraagt een stem.
'Ja,' luidt het antwoord. 'De kust is... nee, wacht!
Daar komt iemand aan, kijk uit!'
Gauw verdwijnt het hoofd naar binnen.
Op dat moment wordt er gebeld. Maar Ellie en Nellie
doen niet open. Dat kunnen ze niet. De deur van hun
kamer is op slot.
Weer wordt er gebeld.
'Doe open!' roept een boze man.
Maar de deur blijft dicht. Vader is naar zijn werk,
moeder is weer naar de stad. Daar is ze vaak, de
laatste tijd. Ze heeft het druk met haar goede doel.
'Waar zijn die rotmeiden?' roept de boze man. 'Waar
zijn Ellie en Nellie? Mijn arme Billie! Hij was vandaag
in het park aan het spelen en toen kwamen die
afschuwelijke Ellie en Nellie. Ze hebben hem geschopt
en zijn zakgeld afgepakt, die kleine krengen!'
'Hoor je dat, zus?' vraagt Ellie. 'Er is weer een kind
gepest en weer denken ze dat wij het waren.'
'Ik hoor het, zus,' zegt Nellie. 'Weer krijgen wij de
schuld. Stomme grote mensen.'

Ellie zegt niets meer. Ze gluurt naar buiten.
De man voor de deur gaat weg. 'Straks kom ik terug!'
roept hij. 'Dan zwaait er wat!'
Daarna is het stil in de straat.
'Nu is de kust veilig,' zegt Ellie. Langzaam en stil
klimt ze het raam uit.
Nellie volgt haar. Langs een laken zakken ze omlaag.
'Daar gaan we dan,' zegt Ellie.
'Ja, daar gaan we dan,' zegt Nellie.

Op zoek naar de waarheid

Ellie en Nellie lopen door het park. Nee, ze lopen
niet, ze sluipen. Niemand mag hen zien of horen. De
waarheid! Ze zijn op zoek naar de waarheid!
'Daar komt iemand aan!' fluistert Nellie.
Gauw kruipen ze achter een struik. Muisstil blijven
ze daar zitten.
Een man en een vrouw lopen voorbij.
'Heb je het al gehoord?' vraagt de vrouw. 'Ellie en
Nellie zijn weer bezig. Elke dag slaan ze toe. Eerst die
arme Wim en toen de kleine Billie.'
'Is het heus?' vraagt de man. 'Wat erg, zeg. Wie zal er
vandaag aan de beurt zijn? Waar zal die tweeling dit
keer toeslaan?'
Al pratend lopen de man en de vrouw verder.
'Zie je nou wel,' zegt Ellie. 'Iemand doet alsof hij ons
is. We móéten weten wie het is. Mamma vindt ons
ook zielig, maar naar haar luistert pappa niet. Heb je
gezien dat ze moest huilen?'
'Maar als we die rotzak nou niet vinden?' vraagt
Nellie.
'Dan gaan we nooit meer naar huis. Dan worden we
zwerfsters.'
'O zus, ik wil geen zwerfster worden!'

'Ik ook niet, ik wil bij jou blijven.'

'En ik wil bij jou blijven.'

'Ik heb een idee,' zegt Ellie. 'We gaan naar Wim toe. Zijn snoep is gepikt en hij zegt dus dat wij het hebben gedaan.'

'Dat liegt hij!' roept Nellie uit.

'Stil toch!' sist Ellie. 'Anders horen ze ons.'

'Sorry, zus,' zegt Nellie. Ze gluurt om zich heen. Niemand te zien.

'Mooi zo,' zegt Ellie. 'Ja, Wim liegt, dat klopt. Maar waarom doet hij dat? Daar moeten we achter zien te komen.'

'Jáááá!' zegt Nellie. 'We gaan naar Wim toe. We knijpen de waarheid uit dat gemene liegbeest!' Ze grauwt van woede. Haar handen worden weer klauwen, haar glimlach...

'Rustig nou, zus,' zegt Ellie. 'Volg me...'

Wim

Kijk, daar is Wim in zijn tuin. Hij rijdt rond op een
nieuwe fiets. Hij heeft mooie kleren aan en een
feestmuts op zijn hoofd.
Achter de heg zitten Ellie en Nellie. Wim heeft hen
niet in de gaten.
In het huis is veel visite, allemaal grote mensen. Ze
praten met elkaar. Ze eten taart en drinken koffie.
Goed zo, ze letten niet op.
Wim rijdt over het tuinpad en daarna over het gras,
naar de heg toe. Steeds dichter naar Ellie en Nellie.
'Mooi,' fluistert Ellie. 'Kom maar hierheen, jochie.
Kom maar lekker dicht bij ons.'
Nog steeds ziet Wim hen niet. Hij fietst en fluit een
liedje en... daar springen Ellie en Nellie tevoorschijn!
Ze trekken Wim van zijn fiets en slaan een hand
tegen zijn mond. Daarna sleuren ze hem door de heg
heen.
Wit van schrik kijkt Wim hen aan. Hij bibbert.
Ellie neemt hem in de houdgreep. 'Niet bang zijn!'
snauwt ze. 'We doen je geen kwaad.'
'Behalve als je liegt,' zegt Nellie. 'Zul je niet liegen of
gillen?'
Doodsbang schudt Wim zijn hoofd.

'We willen alleen maar iets vragen,' zegt Ellie. 'Je moet antwoord geven. Daarna laten we je gaan, gesnapt?'

Wim knikt.

'Behalve als je liegt,' zegt Nellie weer.

Ellie laat Wims mond los.

De jongen hoest en slikt.

'Wie heeft je snoep gepikt?' zegt Ellie.

Wims ogen zijn groot van angst, maar hij geeft geen antwoord.

'Zeg op, wie?' snauwt Nellie. Ze knijpt Wim in zijn arm.

'Au!' gilt Wim. Dan zegt hij met een dun stemmetje:
'Júllie waren het. Dat weet je toch zelf wel?'
'Leugens!' zegt Ellie.
'Het is wél waar,' zegt Wim. 'Jullie pikken en slaan altijd, dus ook nu.'
'Leugens!' zegt Ellie weer. 'Vroeger waren we gemeen, dat is waar. Maar nu niet meer, nu zijn we lief en schattig. Dat is zo, hè zus?'
'Klopt als een bus, zus,' knikt Nellie.
Ze zet haar nagels in Wims arm en slaat hem op zijn hoofd. 'Waarom zeg je dat wij het waren? Hoe weet je dat zo zeker?'
Wim denkt na.
'Ik, eh...' begint hij. 'Ik weet het niet zeker, maar ik dénk het.'

Peinzend kijkt Ellie naar haar zus. 'Zeg op,' snauwt ze tegen Wim. 'Wat is er precies gebeurd?'

'Ik liep in de straat,' zegt Wim. 'En ik had snoep bij me. En toen ineens... Iemand duwde een zak over mijn hoofd en toen werd ik op de grond gegooid. Ik kon niks zien. Mijn tas werd afgepakt en iemand zei: "We hebben het te pakken, zus." Dat was jij, Ellie. Het was jouw stem.

En iemand anders zei: "Mooi zo. Kom op, zus, we gaan ervandoor." Dat was jij, Nellie. Ik heb niks gezien, want ik had die zak over mijn hoofd. Maar ik hoorde dat het jouw stem was. En toen holden jullie weg. Zo is het gegaan.'

'Leugens!' brult Nellie.

'Ik lieg echt niet,' zegt Wim.

Ellie kijkt hem lang aan. 'Ik geloof je,' zegt ze langzaam. 'Ik geloof dat je niet liegt.'

'Wim!' klinkt het vanuit het huis. 'Jongen, waar zit je? Kom binnen, je vriendjes zijn er.'

'Mijn moeder!' fluistert Wim.

'Ga maar naar haar toe,' zegt Ellie. 'Maar mondje dicht over ons, anders zwaait er wat.'

'Goed,' belooft Wim bevend. 'Ik zal niks zeggen.'

Hij krabbelt op en holt weg.

Peinzend blijven Ellie en Nellie achter.

In het nauw

'Twee meiden doen alsof ze ons zijn. Ze doen zelfs
onze stemmen na. Hoe durven ze!'
'Ja, maar welke meiden? Als we dat eens wisten.'
Het is avond en donker. Ellie en Nellie zijn terug in
het park. Ze hebben zich verstopt in de struiken.
'Morgen zoeken we verder,' zegt Ellie. 'Nu ben ik te
moe.' Ze maakt een bed van takken en blaadjes.
Nellie gluurt nog wat om zich heen, maar ineens
duikt ze weg. 'Kijk uit!' sist ze. 'Daar heb je pappa.'
Ja, in het park loopt hun vader.
'Ellie en Nellie?' roept hij. 'Waar zitten jullie?
Wat een toestand,' mompelt hij. 'Nergens zijn ze te
vinden. O, als ik ze te pakken krijg!'
Hij komt een vrouw tegen.

'Hebt u Ellie en Nellie gezien?' vraagt hij.

'Gezien niet,' zegt de vrouw, 'maar ik heb wel weer iets gehoord.'

'Wat dan?' vraagt vader.

'Het is weer zover,' zegt de vrouw. 'Het spaargeld van een oud vrouwtje. Ze bonden haar vast en hebben het geld gepikt.'

'Verdraaid!' bromt vader. 'Waar zijn ze toch?'

'Zal ik u helpen zoeken?' biedt de vrouw aan.

'Graag,' zegt vader. 'Die rotmeiden. Hun moeder is erg bedroefd en ik ook.'

De vrouw vraagt: 'Wat moet ik doen als ik ze zie?'

'Neem ze te pakken,' zegt vader, 'en breng ze bij mij.'

'Zal ik doen,' zegt de vrouw.

'En vertel het aan iedereen,' zegt vader. 'Iedereen moet zoeken, iedereen moet helpen. Die twee zijn een groot gevaar.'

Even later is het weer stil in het park. Somber zit de tweeling achter de struik.

'O zus,' zegt Nellie. 'Wie is er zo gemeen? Wie pest en pikt en geeft ons de schuld?'

'Geen idee,' zegt Ellie, 'maar we komen er wel achter. Dat moet, want anders...'

Nellie zegt niets meer terug. Ze moet te erg huilen.

Niemand?

Het dorp is in rep en roer. Iedereen zoekt de tweeling.
Mensen turen en gluren. Op straat, in het park, in de
huizen. Niemand praat nog over iets anders.
Maar nergens zijn ze te vinden, want Ellie en Nellie
houden zich schuil.
Nog steeds zijn ze in het park. Het is er koud en ze
hebben honger. Af en toe eten ze oud brood dat ze
van eenden hebben afgepakt, zo blijven ze in leven.
Voorlopig zijn ze veilig. Toch kunnen ze hier niet
blijven, ze moeten zelf ook zoeken. Wie zijn de echte
daders? Wáár zijn de echte daders?

Zo gaat de tijd voorbij. Een uur, een dag, en nog een dag. En nog steeds gebeurt het, nog steeds wordt er gepest en gepikt. En het rare is... geen mens ziet ooit iets.

Steeds gaat het op dezelfde manier. Bijvoorbeeld zo. Een jongen loopt op straat. Iemand springt hem op zijn rug. Hij krijgt een zak over zijn hoofd en daarna krijgt hij klappen. En voor hij het weet: weg geld, weg snoep, weg rovers.

Nee, niemand ziet ooit iets. Maar iedereen weet het zeker: Ellie en Nellie hebben het gedaan! Niemand is zo gemeen als zij.

Niemand?

Strikken en klauwen

Op een ochtend gaat het mis.
Ellie en Nellie zijn op een plein. Ze zoeken en
speuren nog steeds. Het hele dorp zijn ze al door
geweest, alleen hier waren ze nog niet. Ze sluipen
langs een groentenwinkel. Hun maag kreunt van de
honger. Gauw pikken ze twee appels.
Ze kijken achter auto's. Niets te zien. Ze steken het
plein over. Nog steeds niets. Ze...
'Daar zijn ze!' roept een stem. 'Grijp ze!'
Een man komt op hen af.
'Rennen!' sist Ellie.
'Help!' gilt Nellie. Ze holt achter haar zus aan.
'Ik zie ze ook!' roept een vrouw. 'Pak ze!'
Van alle kanten duiken er mensen op. Ellie en Nellie
hollen weg. De grote mensen hollen ook.
'Pak ze! Grijp ze! Geef ze ervan langs!'
Ellie en Nellie vliegen een hoek om. De grote mensen
ook.
'Staan blijven!'
Ellie en Nellie rennen een steeg in. De grote mensen
ook, steeds dichter achter hen.
Weg, ze moeten weg. Het park door, het dorp uit.
'Daar!' gilt Ellie. Ze duikt door een gat in een muur.

Nellie duikt achter haar aan.

'Staan blijven!' brullen de mensen.

Maar Ellie en Nellie blijven niet staan. De grote mensen wel. Voor hen is het gat in de muur te klein. Ellie en Nellie hollen verder, buiten adem, maar ze stoppen niet. Ze hebben een voorsprong.

Maar dan ineens...

'Mamma!' roept Ellie. 'Daar loopt mamma!' Ze wijst. Maar tegelijk gilt Nellie: 'Nee, dáár loopt mamma!' Ze wijst de andere kant op.

Ellie kijkt en weet niet wat ze ziet. Aan het eind van de straat loopt hun moeder. Ze draagt een lange, bruine jas en heeft een grote tas bij zich. En aan de overkant loopt ze óók. Met net zo'n jas aan en met net zo'n tas bij zich.

Twee moeders? Twee precies dezelfde moeders? Verbaasd kijkt de tweeling elkaar aan.

Ellie krijgt een raar gevoel. 'Hier klopt iets niet,' zegt ze. 'We hebben geen twee moeders, we hebben er maar één. Hoe kan dit nou?'

Moeder Eén kijkt hun kant uit. 'Ellie en Nellie!' roept ze verrast. 'Daar zijn jullie!'

Ook moeder Twee kijkt nu op. Ze kijkt naar moeder Eén en daarna naar Ellie en Nellie. Dan begint ze te wuiven.

'Dag meisjes!' roept ze vrolijk.

'Kom eens bij me.' Ze wenkt met een glimlach.
De tweeling doet geen stap.
'Ik vertrouw het niet,' zegt Nellie. 'Ik weet niet
waarom, maar ik vertrouw het niet. We gaan
ervandoor, zus.'
Maar daar krijgen ze de kans niet voor. Moeder Twee
komt op hen af.
En kijk nou wat er gebeurt! Ineens gaat ze er anders
uitzien. Haar glimlach wordt een valse grijns, haar
handen worden klauwen.
'Staan blijven!' brult ze. In één sprong is ze bij de
tweeling. Ze grijpt Ellie en Nellie vast.
'Help me, zus!' brult ze.

'Ja, goed.' Moeder Eén staat meteen naast haar.

Samen sleuren ze de meisjes een portiek in.

'Gevaar!' schreeuwt Ellie.

'Red ons!' brult Nellie.

Maar er is niemand die hen hoort.

Hannie en Jannie

'Mamma!' roept Ellie uit. 'Laat me los! Je knijpt me,
het doet pijn.'
'Wie zijn jullie?' kreunt Nellie.
Ja, wie zijn ze? Wie van de twee is hun moeder? En
wie is het niet?
Ellie kijkt moeder Eén aan. Die houdt haar nog steeds
stevig vast.
Nellie kijkt naar moeder Twee. Die ziet er weer
gewoon uit. Geen klauwen meer en ook geen valse
grijns meer.
Twee moeders, twee precies dezelfde moeders.
Moeder Twee lacht hard. 'Snap je het niet?' vraagt ze.
'Wat lijken jullie op elkaar!' zegt Nellie.
Weer lacht moeder Twee keihard, ze kakelt van de
lach. 'Wij zijn erge Ellie en nare Nellie!'
'Nou ja, we doen alsof,' zegt moeder Eén.
'En iedereen trapt erin,' zegt moeder Twee. 'Het is
heerlijk! We pesten en pikken, elke dag opnieuw, net
als vroeger. En jullie krijgen de schuld.'
Ellie en Nellie kijken elkaar aan. Nog steeds snappen
ze het niet.
'*Wij* zijn Ellie en Nellie,' zegt Ellie.
'Wie zijn jullie dan?' vraagt Nellie.

'Wie we zijn?' vraagt moeder Eén. 'Wie we echt zijn? Ik ben Jannie.'

'En ik ben Hannie,' zegt moeder Twee.

'Hannie en Jannie?' vraagt Ellie. 'Onze moeder heet Lies.'

'Dat doet er niet toe,' zegt Jannie. 'We zijn een tweeling.'

'Net als jullie,' zegt Hannie.

Een tweeling?

'Maar mamma, heeft u een zus?' vraagt Nellie. 'Hoe kan dat nou? Dat wisten we helemaal niet.'

'Niemand wist het,' zegt Jannie. 'Het was een groot geheim.'

'En het *blijft* een groot geheim,' zegt Hannie. 'Niemand mag dit weten.'

'Ik snap er niks van!' roept Ellie uit.

'Luister goed,' zegt Jannie. 'Dan leg ik het je uit. Let jij op of er iemand aankomt, zus.'

Hannie gluurt de straat in. En Jannie vertelt.

'We zijn dus een tweeling. Vroeger waren we net zoals jullie. Heel gemeen waren we. We deden alles wat niet mocht. Maar toen ontdekten de grote mensen het en we mochten niet meer bij elkaar blijven. Hannie moest bij vreemde mensen wonen en ik bleef bij mijn vader en moeder.

Dertig jaar hebben we elkaar niet gezien. En nooit hebben we het iemand verteld.

Maar toen zagen we elkaar terug. Hannie heeft lang naar me gezocht, want ze wist niet hoe ik heette. Ik had een nieuwe naam. Stel je voor, na dertig jaar zag

ik haar terug. We waren nog steeds woedend en we wilden meteen wraak nemen, wraak op iedereen. Dus maakten we een plan en gingen aan het werk. We sloegen erop los, we pestten en pikten. En jullie kregen de schuld. Heerlijk!'

'Maar mamma toch!' zegt Nellie. 'Wij zijn je kinderen!'

Even aarzelt Jannie. Haar ogen worden nat.

Dan mompelt ze: 'Eh... nou en? Wat heeft dat ermee te maken? Met ons is het ook gebeurd.'

'Bah, wat gemeen,' zegt Nellie. 'We gaan het tegen pappa zeggen.'

'Probeer maar,' zegt Jannie. 'Maar denk niet dat hij je gelooft. Niemand weet dat ik een zus heb, zelfs pappa niet. Het is een groot geheim en pappa weet trouwens dat jullie altijd liegen.'

'Maar...' wil Ellie zeggen.

Op dat moment geeft Hannie een schreeuw. 'Zus!' roept ze. 'Kijk eens wat daar aankomt! Kom mee, het is uit met de kruimels. Het is tijd voor het grote werk.'

Ze trekt Jannie de portiek uit.

En weg zijn Hannie en Jannie.

De chauffeur van de geldauto

Ellie en Nellie kijken wat er gebeurt.
Een grote geldauto van de spaarbank komt aanrijden.
'Een auto vol geld!' gilt Hannie. 'We gaan het stelen,
dan zijn we rijk!'
'Nee!' roept Jannie uit. 'Niet die auto!'
Maar Hannie luistert niet. Ze sleurt haar zus mee, de

straat door, de weg op. Zo springt ze voor de auto.

'Halt!' brult ze. 'Je geld of je leven!'

Remmen piepen, banden gieren. De auto komt tot stilstand.

'Nee!' roept Jannie. 'Doe het niet! Kom mee, zus, nu kan het nog.'

Maar het lijkt of Hannie haar niet hoort. Haar handen worden weer klauwen, haar ogen spugen vuur.

'Naar buiten, jij!' schreeuwt ze tegen de chauffeur. 'Hier met die centen en gauw een beetje.'

De deur van de auto gaat open. En uit die auto stapt...

'Pappa!' schreeuwen Ellie en Nellie.

Ja, het is hun vader. Stomverbaasd komt hij zijn auto uit.

'Wat krijgen we nou?' zegt hij. 'Wat is hier aan de hand?'

'O, zus!' snikt Jannie. 'We zijn verloren. Mijn man, het is mijn man.'

'Je mán?' gilt Hannie. 'Hoe kan dat nou?'

'Hij werkt bij de bank. Dat wist je toch? Je wist toch dat hij chauffeur van een geldauto is?'

'Dat is waar ook, wat erg!' gilt Hannie. 'Kom op zus, we gaan ervandoor.' Meteen maakt ze rechtsomkeert.

Maar vader is sneller. Hij grijpt de twee vrouwen vast. 'Hier blijven!' brult hij.

'Spijt!' snikt Jannie. 'Ik heb spijt.'

Ook Ellie en Nellie komen er nu bij.

'Pappa!' roepen ze. 'Zíj hebben het gedaan!'

'Ellie en Nellie!' roept vader uit. Verbaasd kijkt hij om zich heen. 'Wat is hier in vredesnaam aan de hand?'

Hij begrijpt er niets van. 'We gaan naar huis,' zegt hij. 'Daar wil ik het hele verhaal horen. Vooruit, stap in!'

Niemand durft nog iets te zeggen. Braaf stappen Ellie en Nellie in. Ook Jannie doet wat vader zegt.

Alleen Hannie doet dat niet. Ze trekt zich los en rent weg.

'Kom mee, zus!' roept ze. 'We gaan ervandoor. Het is nu of nooit!'

Jannie aarzelt. Dan zegt ze: 'Nee, ik ga niet mee. Het is voorbij.'

'Stommerd!' gilt Hannie. 'Dan zie je me nooit meer terug! Nooit meer!'

Schreeuwend verdwijnt ze een hoek om.

Toch naar Spanje?

Ze zijn weer thuis. Ze zitten aan tafel en moeder vertelt.

'Ik was dus net zoals jullie. Ook van een tweeling, ook gemeen. Daarom moest Hannie bij me weg. Iedereen was kwaad op me, niemand vond me aardig. Wat was ik eenzaam!

Toen werd ik groot en ging ik in een vreemde stad wonen. Niemand kende me daar. Ik koos een nieuwe naam en een nieuw leven. Niemand wist van mijn geheim. Dat moest zo blijven, niemand mocht het weten. Zelfs jij niet, Henk. Ik was bang dat je anders bij me zou weggaan.

Toen werden Ellie en Nellie geboren. O, wat lijken jullie op Hannie en mij. Net zo blond en net zo erg. Ik heb echt mijn best gedaan om te zorgen dat jullie lieve meisjes zouden worden, echt, ik heb er mijn best voor gedaan. Maar... nou ja, dat is niet zo goed gelukt.

En toen ineens kwam ik Hannie weer tegen. Na dertig jaar, stel je voor!

"Ga met me mee," zei ze. "We gaan ervandoor. We trekken de wereld rond en we slaan erop los."

Ik wist niet wat ik moest doen. Ik was blij dat ik haar terugzag. Maar bij jullie weggaan? Voor altijd?

Ik moest er eerst een poosje over nadenken, daarom bleven we in de buurt. Ik pakte alvast mijn koffer en ondertussen gingen Hannie en ik onze gang. We pestten en pikten zo vaak we konden. Ineens was alles weer als vroeger. Fijn! Hoewel, echt fijn was het niet, want jullie kregen de schuld. Ik vond dat erg en toch ook weer niet. Dat voelde raar. Ik wilde stoppen, maar ik kon het niet, want ik was weer samen met mijn zus.

O, Ellie en Nellie, ik heb spijt. Vergeef me. Ik wou het niet, maar ik kon niet anders. En toch... Ik wil niet bij jullie weg, ik wil niet met Hannie mee.'

Ellie en Nellie zijn er stil van. Ze snappen wat moeder bedoelt, want zelf zijn ze soms ook zo. Gemeen, terwijl ze het niet willen. Dan willen ze best lief zijn, maar dan kunnen ze het niet. Want dan zien ze ineens een kind met snoep en dan móéten ze eropaf.

'O, Henk!' zegt moeder. 'Ben je erg boos op me?'

Vader bromt. 'Nogal, ja,' zegt hij, 'vooral omdat je een geheim had. Had het me maar verteld, dan had ik je kunnen helpen.'

'Ik durfde het echt niet,' zegt moeder. 'Ik was zo bang dat je bij me weg zou gaan en dat ik weer alleen zou zijn.'

'Hm,' zegt vader weer. 'Dat snap ik wel een beetje.

Zo'n leuke man als ik vind je nooit meer.' Hij lacht
om zijn eigen grapje.
'Ik zal het nooit meer doen,' zegt moeder. 'Ik wil
graag lief zijn voor jou en voor Ellie en Nellie. En
voor iedereen.'
'Wij ook, pappa!' zegt de tweeling. 'Wij willen ook
graag lief zijn. Echt, we zullen ons best doen.'
'Tja,' zegt vader, 'wat moet ik nou?'
'Ik wil niet bij oma wonen,' zegt Nellie.
'Dat hoeft ook niet,' zegt vader, 'niet nu ik de
waarheid ken.'
'Stuur me niet weg,' zegt moeder.
Vader kijkt haar lang aan. 'O, maar dát doe ik wel,'
zegt hij. 'Ik stuur je weg. Maar niet alleen jou, ik
stuur ons allemaal weg. Weg uit dit dorp. Hier is
iedereen boos op ons. We gaan ergens anders wonen.
ergens waar niemand ons kent. Wat vinden jullie
daarvan? Zullen we naar Spanje gaan?'

'Ja!' juichen ze alledrie. 'Spanje, we willen naar
Spanje!'
'Afgesproken,' zegt vader. 'Maar beloof me één ding:
nooit meer gemeen zijn, want anders...'
'Nee, nooit meer!' zeggen de drie in koor. Ze vallen
vader om zijn hals.
'Au!' roept hij uit. 'Wie krabt me zo hard?'
'Sorry, Henk,' zegt moeder. Gauw trekt ze haar
klauwen in. Ze grinnikt en vader ook.
'En nu,' zegt hij, 'gaan we lekker uit eten. We
moeten vieren dat het voorbij is.
Jas aan, allemaal.'
Juichend rennen Ellie en Nellie naar de gang.
En wat doet moeder? Ze geeft haar man een knuffel,
een lieve, zachte knuffel.
'O, Jannie!' zegt vader.
'Lies,' zegt moeder, 'ik heet Lies.'

Het knalfeest van Ellie en Nellie

Weg

Bas ligt op zijn rug, Lot hangt op haar kop. Haar
hoofd is rood.
'Weet je nog?' zegt ze. 'Vroeger hing ik ook vaak op
mijn kop.'
'En ik lag op mijn rug,' zegt Bas. 'Ze gingen boven op
me staan. Wat deed dat een pijn! "Kom op met je
snoep!" zeiden ze dan. En dan schopten ze me hard.'
'Mij gaven ze een duw,' zegt Lot. 'Ze pakten me bij
mijn benen en hielden me ondersteboven. Dan viel
mijn geld uit mijn zak en dan pakten ze het af en
renden weg.'
'Dat was vroeger,' zegt Bas.
'Ja, vroeger...' zegt Lot. Ze klautert uit het klimrek.
Bas glijdt van de glijbaan. Samen lopen ze naar Tom,
die net de speeltuin in komt.
'Heb je het ook gehoord?' roept hij. 'Ze gaan weg,
voor altijd weg.'
'Wat zeg je nou?' vraagt Lot.
'Waar gaan ze heen?' zegt Bas.
'Weet ik niet,' antwoordt Tom. 'Morgen gaan ze weg.
Hun huis is verkocht, goed hè?'
Even zijn Lot en Bas stil.
Weg... denkt Lot.

Voor altijd weg, denkt Bas. Zou dat écht zo zijn? Het lijkt te mooi om waar te zijn.

Weg, denkt Ellie.
Voor altijd weg! denkt Nellie.
Ellie en Nellie zijn in hun kamer. Ze zitten op de grond en pakken een koffer in.
'Nog één dag, zus,' zegt Ellie. 'Dan gaan we weg, voorgoed weg.'
'Naar Spanje,' zegt Nellie.
Ja, morgen gaan ze naar Spanje, Ellie, Nellie en hun ouders. Voorgoed. Vader heeft daar een huis gekocht, vlakbij de plek waar oma woont. En hij heeft nieuw werk. Hij wordt boer.
Nellie pakt een beer van haar bed. De beer heet Tom.
'Dag lieve Tom,' zegt ze. Ze rukt de kop van de beer.
Haar zus geeft de kop een schop. Die vliegt naar buiten.
'Zijn poten ook, zus,' zegt Ellie.
'Oké, zus,' zegt Nellie.
Ook de vier poten gaan het raam uit.
Ellie staat op en zucht diep. 'Nou ja,' zegt ze. 'Ik vind het niet erg om weg te gaan. Zo leuk is het hier niet meer. Vroeger was het veel leuker.'
Nellie propt een jurk in haar koffer en denkt treurig: Ach, vroeger...

Moet je zien, zus

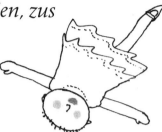

Ellie pulkt twee ogen uit
een pop. De pop heet Lot.
Ze pakt een rol touw.
'Die pop is blind,' zegt ze. 'Die hoef ik niet meer.' Ze
smijt haar in een hoek. 'Dat touw is veel beter.'
Nellie grijnst. Ze gooit het touw in de koffer.
'Handig voor in Spanje,' zegt ze. 'We binden zo'n
Spaans kind vast.'
'Jááá!' roept Ellie uit. 'We pakken Spaans snoep af en
we pikken Spaans geld. Wat heb ik daar zin in!'
Ach ja, wat zouden ze het graag nog eens willen
doen, pesten en schoppen en slaan. Het leukste wat
er bestaat...
Ellie knipt het hoofd van Lot kaal. Ze loopt naar het
raam.
'Blind en kaal,' zegt ze. Ze draait er een been af. 'En
mank. Die gooien we ook de tuin in.'
Ze zucht. 'Was die pop maar een kind.'
Hup, met een boog verdwijnt Lot het raam uit.
Even kijkt Ellie naar buiten. Dan zegt ze: 'Moet je
zien, zus. Kijk eens wie daar zijn.'
Nellie komt bij Ellie staan. Ze kijkt wie daar lopen.
Het zijn Tom, Lot en Bas.

Wat hebben ze die vaak gepest. Doodsbang waren ze.
Maar die tijd is allang voorbij. Nu lopen de drie
kinderen gewoon langs het huis van Ellie en Nellie.
'Fijn hè, dat ze weggaan,' zegt Tom luid.
'Nou!' schreeuwt Bas. 'Ze komen nooit meer terug.'
Even kijkt hij omhoog.
'Dat wordt een mooi feest,' zegt Lot keihard. 'Een
feest omdat Ellie en Nellie weggaan. Het hele dorp is
dolblij en niemand is nog bang voor ze. Laat ze maar
lekker weggaan, net goed. Hoera, we vieren FEEST!'
Zo lopen ze verder.
De tweeling heeft het woord voor woord verstaan.
Ellie kijkt naar Nellie en Nellie kijkt naar Ellie.
'Geven ze een feest omdat wij weggaan?' zegt ze.
'Hoe durven ze! Ik heb zin om ze te slaan.'
Ellie ontploft haast van woede. Nellie ook. En kijk
wat er gebeurt! Ineens zijn de twee geen lieve meisjes
meer. Hun handen worden klauwen, hun tanden
scherp en groot. Er komt rook uit hun oren. Hun
ogen zijn zwart, zo kwaad zijn ze.
Maar ze doen niets. Stel je voor dat hun vader het
hoort...
Ellie gaat op haar bed zitten. Haar klauwen worden
weer handen, haar tanden wit en klein. Vanbuiten
een lief, klein meisje. Maar vanbinnen...

Een feest

Het feest was een idee van Lot.

Tom zei: 'Nooit meer Ellie en Nellie. Ik ben dolblij. Ik loop nog steeds niet graag langs hun huis, vooral niet als ik alleen ben. Je weet maar nooit.'

'Ik ook niet,' zei Bas. 'Ze dóén wel alsof ze braaf zijn, maar ik vertrouw ze voor geen cent.'

'We moeten het vieren,' zei Lot. 'Als ze weg zijn, geven we een feest. Weet je echt niet waar ze heen gaan?'

'Nee,' zei Tom. 'Hun vader wil het niet zeggen. Maar dat geeft niks, als het maar ver van hier is. Een feest als ze weg zijn, goed plan.'

'Ik heb een beter idee,' zei Bas. 'We wachten niet tot ze weg zijn, maar we beginnen meteen met dat feest. We versieren het plein en we vertellen rond waar dat voor is.'

'Zou je dat nou wel doen?' vroeg Lot. 'Stel dat Ellie en Nellie het horen. Een feest omdat zij weggaan. Wat zullen ze kwaad zijn.'

'Precies,' zei Bas. 'Ze zullen woest zijn... Ze klappen uit elkaar van kwaadheid. Zou dat niet mooi zijn?'

Tom lachte. 'Heel mooi, prima plan. Kom op, we gaan vragen of het mag.'

'Aan wie?' vroeg Lot.

'Aan onze ouders,' zei Tom. 'Zij moeten ook meedoen.'

'Dat willen ze vast wel,' zei Bas. 'Het hele dorp wil meedoen, zeker weten!'

Een knalfeest

Troostend slaat Nellie een arm om haar zus heen.
'Stom rotfeest,' zegt ze. 'Daar ligt onze oude
speelgoedhond Bas. Zullen we die gaan slopen?'
'Ja, graag,' zegt Ellie. 'Weg met Bas!'

Meteen voelt ze zich iets beter.
'Zus,' zegt ze en ze smijt een stuk hond in een hoek.
'Weet je wat leuk zou zijn? Dat feest, hè, als we dat
eens gaan verpesten. Daar zou ik zin in hebben.'
Nellie kijkt haar aan. 'Verpesten? Hoe bedoel je?'
'Knal! Boem! Dát bedoel ik, zus. Een knalfeest met
een stinkbom!'
Dan is Ellie stil. Ze zucht diep. 'Nee,' zegt ze treurig,
'we maken er geen knalfeest van. Als pappa het
hoort...'
Ook Nellie zucht diep.

'Pappa, pappa, steeds weer pappa! Nooit meer lekker gemeen zijn... Arme, arme wij!'

Snikkend gaan ze op bed zitten.

Ineens gaat de deur open. 'Wat zijn dat voor tranen?'

Ellie en Nellie kijken op. 'Mamma, wat doe jij hier?'

'Ik stond op de gang,' zegt moeder. 'Ik heb alles gehoord. Een feest omdat we weggaan. Wat een lef!'

'Ze doen het expres,' zegt Ellie. 'Het is om ons te pesten.'

'Dat denk ik ook,' zegt moeder. 'Ze willen jullie kwaad maken. Trek je er maar niks van aan.'

'Dat doe ik wél,' zegt Ellie.

'Ik ook!' roept Nellie uit.

Even is moeder stil. Dan zegt ze: 'Vertel eens, schatten. Wat zouden jullie nu het liefst doen?'

Ellie springt op. 'Ik wil ze grijpen! Ik trek ze aan hun haar!'

Nellie springt ook op. 'Ik duw ze in de sloot, met hun kop in de blubber!'

Moeder glimlacht. 'Zouden jullie dat fijn vinden?'

'Nou en of!' brult de tweeling.

'Maar dat mag niet, hè?' vraagt moeder.

Ellie en Nellie kijken sip. 'Nee, dat mag niet...'

'Ik weet het,' zegt moeder. 'Een knalfeest mag beslist ook niet. Want dan wordt pappa woest. Maar, eh...'

Ze lacht. 'Maar pappa hoeft het niet te weten.'

'Hoe bedoel je?' vraagt Nellie.

Moeder giechelt en kijkt naar de deur. 'Ik bedoel...' begint ze.

Ze buigt zich naar Ellie en Nellie toe en fluistert een poosje. Daarna zegt ze luider: 'Dát bedoel ik.'

Ellie klapt in haar handen. Nellie giert het uit.

'Mamma, wat lijk je veel op ons,' zegt Ellie trots.

Moeder grinnikt. Ze steekt haar handen op. Het zijn twee klauwen...

'Nee, jullie lijken op mij,' zegt ze en ze grijnst vals. Scherpe tanden steken uit haar mond. 'Aan het werk, meiden. Morgen is dat feest al, we hebben dus maar weinig tijd. En er is heel wat te doen. We gaan naar Spanje, dat is heus beter. Want hier is er niks meer aan. Niemand vindt ons leuk. Geen kind speelt met jullie, niemand komt bij mij op de koffie. In Spanje zal het beter zijn. Maar we gaan weg met een boem en een knal.'

'Ja!' roepen Ellie en Nellie uit. 'We gaan weg met een boem en een knal. Leve mamma, leve wijzelf!'

Moeder gluurt de gang in. Vader is nergens te zien. Mooi zo...

Dat wordt me een feest!

Er wordt hard gewerkt in het dorp. Tom, Lot en Bas
zijn ijverig aan de slag gegaan.
Ellie en Nellie en moeder ook.
Vader let niet op hen. Hij heeft het te druk met de
reis. Hij poetst de auto en belt met oma in Spanje.
'Nee, mam,' zegt hij. 'Niemand hier weet waar we
heen gaan. Dat lijkt me beter.'
Hij leest een boek dat *Boer in Spanje* heet.
Mooi zo, denkt moeder. Laat hem maar lekker
lezen...
Zelf gaat ze de zolder op.

Toms moeder bakt taarten. Lots vader zet tafels op
straat. De moeder van Bas plukt bloemen. En zo
gebeurt er nog veel meer. Het hele dorp werkt mee
aan het feest. Nou ja, bíjna het hele dorp.
Bas sjouwt een vaas naar het plein. Hij zegt: 'Zouden
die twee nog wat van plan zijn? Een laatste
rotstreek? Je weet maar nooit met Ellie en Nellie.'
Hij kijkt naar het raam van de tweeling. Niemand te
zien.
'Welnee, dat durven ze niet,' zegt Tom. 'Ze zijn bang
voor hun vader, dat weet je toch?'

'Wie het laatst lacht, lacht het best,' zegt Lot. 'En dat zijn wij! Onze wraak is zoet.'

Ze hangt een slinger in een boom. 'Mooi,' zegt ze. 'Thuis heb ik er nog meer. Ik ben zo terug.' Ze loopt weg.

Ook Tom gaat naar huis. 'Ik moet mijn moeder helpen,' zegt hij. 'Ze heeft van alles nodig voor de taarten. Ik moet naar de winkel.'

Bas blijft alleen achter. Hij bindt een ballon aan een paal en legt een kleed op tafel. Hij...

'Hé, jij daar!' zegt een harde stem. 'Of wij nog wat van plan zijn? Wou jij dat weten, jochie?'

Bas kent die stem! Hij draait zich om.

Daar staan ze. Erge Ellie en nare Nellie, met hun handen in hun zij.

'Zo!' zegt Ellie.

'Ho!' zegt Nellie. 'Wat ben jij aan het doen?'

Bas wordt bleek van schrik.

'Vertel eens,' zegt Ellie. 'Ben je hier helemaal alleen?'

'Zijn je vriendjes weg?' vraagt Nellie. Ze kijkt dreigend.

Ellie tuurt om zich heen. 'Er komt dus een feest,' zegt ze. 'We hebben het wel gehoord. Waarom?'

'Eh... gewoon...' stottert Bas.

'Niks gewoon,' zegt Ellie. 'Het is om óns te pesten.'

131

'Heus niet,' zegt Bas. 'Het is om...'

'Heus wél,' zegt Nellie. 'Je bent een pestkop en daarom krijg je straf, hè zus?'

'Precies, zus,' zegt Ellie. 'Hij krijgt straf.'

De tweeling doet een stap naar Bas toe. De arme jongen kan geen kant op. Het zweet breekt hem uit.

Waren Tom en Lot maar bij hem.

Zie je nou wel, hij had gelijk. Met Ellie en Nellie weet je het nooit...

En daar gebeurt het weer. Hun handen worden klauwen, hun ogen spuwen vuur.

'Ik pak je!' zegt Ellie.

'Ik grijp je!' snauwt Nellie.

Bas beeft. Het liefst zou hij ervandoor gaan. Maar waar moet hij heen? Die twee zijn trouwens te snel voor hem, dat weet hij nog van vroeger.

Wat nu, wat moet hij doen? Snel denkt hij na.

Wacht, hij weet iets.

Hij trilt, hij slikt. Dan zegt hij luid: 'Toe maar. Sla me maar als je durft. Ik ben niet bang, Ellie en Nellie.'

Zijn stem klinkt erg hard.

'Hou je kop,' zegt Ellie.

'Anders...' dreigt Nellie.

Bas slikt weer. 'Anders wát, Ellie en Nellie?' brult hij.

'Anders dan... dan...' zegt Nellie.

En Bas vult aan: 'Anders hoort jullie vader het!'

Ellie gromt, Nellie grauwt.

'Pappa...' zeggen ze. 'Pappa mag het niet weten.'

Hun klauwen worden weer handen, hun ogen klein en lief. Een hik, een slik. Dan draaien Ellie en Nellie zich om. Somber loopt de tweeling weg.

Stil kijkt Bas hen na, maar vanbinnen juicht hij. Het is echt waar. Ze durven niet meer.

Ellie en Nellie gaan een hoek om. Daar blijven ze staan.

Ellie geeft Nellie een knipoog. Nellie grijnst...

Erin getrapt

Moeder zit op zolder. Ze rommelt wat in een doos.
'Ah, daar heb ik ze,' zegt ze. 'Die zijn nog over van
oudjaar en nu komen ze goed van pas. Wat zien ze er
mooi uit, het lijken net kaarsjes. Ik zet ze in een
feesttaart. Niemand zal het verschil zien. Dan gaan de
"kaarsjes" aan en... KNAL! Weg taart, weg feest! Net
zo leuk als een stinkbom.' Ze lacht hard.
Vader hoort haar niet. Hij is buiten en zet iets in de
auto.

'Goed van je,' zegt Tom op het plein.
'Was je echt niet bang?' vraagt Lot.
'Tuurlijk wel,' zegt Bas. 'Ik was doodsbang. Maar ik
dacht: Je weet maar nooit. Ze durven het vast niet.

En dat klopte. Ze durven ons echt niks meer te doen. Maar woest zijn ze wel, want ze snappen waar dat feest voor is.'

'Prima,' zegt Lot. 'Het gaat goed met ons plan. We gaan gauw verder, dan worden ze nog veel woester.'

'Ha!' zegt Ellie. 'Dat was slim van je, zus. Nu denkt hij dat hij heeft gewonnen.'

De twee zitten in hun kamer.

'Heel slim van mij, zus,' zegt Nellie. 'Hij is erin getrapt. Nu letten ze niet meer op ons.'

'Precies wat we willen. We kunnen onze gang gaan. Kom op, we gaan het tegen mamma zeggen.'

Ze lopen de trap af. In de woonkamer zit hun vader met een landkaart in zijn handen.

'Waar is mamma?' vraagt Ellie.

'Geen idee,' zegt vader. 'Wat zijn jullie aan het doen?'

'We spelen,' zegt Nellie.

'Fijn zo.' Vader buigt zich weer over de landkaart.

Ellie en Nellie gaan het huis uit.

Pappa slaapt...

Het is laat op de avond. Op het plein is niemand meer te zien.

Niemand? Ja, toch. Twee meisjes sluipen langs een struik, twee blonde meisjes.

Het plein is mooi versierd. Alles staat klaar voor het feest. In een boom hangen lampjes, op de tafel staat een groot boeket. Ook staan er kaarsen klaar en borden en glazen, en ook al twee taarten. Nog een paar uur en het feest barst los.

Ellie sluipt om de tafels heen. Ze heeft een emmer bij zich.

Nellie sjouwt met een fles. 'Wat zit er in die emmer?' vraagt ze.

'Hier, kijk maar,' zegt haar zus.

Nellie kijkt en lacht. 'Getver!' roept ze uit.

Ellie kruipt onder een tafel.

Daar doet ze iets met de emmer.

'Zo, klaar,' zegt ze even later.

'En wat zit er in die fles?'

'Ruik maar,' zegt Nellie.

Ellie ruikt en giert het uit. 'Het lijkt op appelsap,' zegt
ze.

'Precies,' zegt Nellie, 'maar dat is het niet. Wil je een
slokje, zus?' Ze giet iets in een kan.

'Gatsie!' zegt Ellie. 'Kom, we gaan terug. We halen de
rest van de spullen.'

Op weg naar huis zien ze moeder, die ook op weg is
naar het plein. Ze sjouwt een doos mee.

'Zijn jullie fijn bezig?' vraagt ze.

'Ja mam,' zeggen Ellie en Nellie.

'Ik ook,' zegt moeder. 'Ik heb hier iets leuks voor het
knalfeest.'

'Wat?' vraagt Ellie.

'Kijk maar,' zegt moeder.

Ze doet de doos open. 'Ssst, niks zeggen,' fluistert ze.

Ellie en Nellie zeggen niks.

'Gaan jullie naar huis?' vraagt moeder.

Nellie knikt. 'We zijn nog lang niet klaar.'

'Zachtjes doen, hoor,' zegt moeder. 'Pappa slaapt al.
Hij wil morgen fit zijn, want hij moet de hele dag
achter het stuur. Zorg dat hij niet wakker wordt, dan
kunnen wij rustig ons werk doen.'

'Goed, mam,' belooft de tweeling. 'We zullen zachtjes
doen.'

Een uur later gaan ook Ellie en Nellie naar bed. Ze hebben hard gewerkt, maar alles is nu voor elkaar. Doodmoe zijn ze ervan. Ze vallen meteen in slaap. Moeder blijft nog lang in de kamer zitten.
Onze laatste nacht hier, denkt ze. Wat staat ons in Spanje te wachten?

Daar gaan ze dan

Het is vroeg in de ochtend. Tom wordt wakker.
Het is zover. Vandaag gaan ze weg, voor altijd weg.
Hij springt zijn bed uit. Gauw kleedt hij zich aan.
Daarna rent hij naar Lot en Bas.
'Kom mee,' zegt hij. 'We gaan kijken hoe ze
weggaan. We gaan naar ze zwaaien.'
'Mam, opa, ga ook mee!' zegt Bas.
'En óf we meegaan!' zegt opa. 'Iedereen gaat mee,
allemaal willen we het zien. En zodra ze weg zijn...'
'Feest!' roept moeder uit.

Feest... denkt Ellie. Jammer dat ze er niet bij kunnen
zijn. Maar ja, dat kan nou eenmaal niet anders.
'Zo, we gaan,' zegt vader. 'Kijk nog maar eens goed
om je heen. Dit dorp zien we nooit meer terug.'
Ellie en Nellie kijken naar buiten. Ze snuiven
kwaad.
Het hele dorp staat op het plein, kinderen en grote
mensen. Iedereen kijkt naar de auto, iedereen kijkt
blij. Ze hebben mooie kleren aan. Nu nog wel... Er is
zelfs een kind dat zwaait.
Jasses! Die stomme grijns van Tom. Die nare lach van
Bas. Dat gezwaai van Lot.

'Wacht maar,' gromt Nellie. 'Straks lachen jullie niet meer.' Haar handen worden...

'Wat zeg je, Nellie?' vraagt vader.

Moeder kijkt kwaad om. 'Niks, ze zegt niks.'

Ellie geeft Nellie een stomp. 'Kop dicht, anders verraad je ons. Denk aan het knalfeest...'

'Sorry, zus,' zegt Nellie zacht.

Ze denkt aan het knalfeest. Straks barst het los... Meteen voelt ze zich wat beter. Ze stopt haar handen in haar zak.

Moeder geeft haar een knipoog. 'Knal...' fluistert ze.

'...boem!' zegt Ellie zacht. Ze knijpt haar neus dicht.

Nellie snapt wat ze bedoelt en grijnst.

Vader start de motor. 'Op naar Spanje!' zegt hij. 'Op naar ons nieuwe leven!'

Zo rijden ze het dorp uit.

Ellie kijkt door de achterruit. Ze ziet het plein met al die blije mensen. Nu nog wel, ja. Maar straks, o, straks... ha! En vader weet van niks.

De auto gaat een hoek om. Het plein is niet meer te zien. Dit was het dan...

'Weg!' roept Tom uit. 'Ze zijn weg, we zijn vrij. Nooit meer hoeven we bang te zijn.'

Iedereen juicht. 'Feest, we vieren feest! Wie snijdt de taart aan?'

'Ik!' zegt Lot meteen. Ze pakt een mes en loopt naar de taart.

Wat ziet hij er lekker uit. Wat staan er veel kaarsjes in.

'Wacht!' zegt haar vader. 'Nog niet snijden. Eerst steek ik de kaarsjes aan. Kom om de taart heen staan.'

En dat doen ze. Ze gaan om de taart met kaarsjes heen staan.

Kaarsjes? Of...

Nee!

De auto rijdt door een bos, daarna langs een veld en
over een smalle weg langs het water.
Ellie en Nellie kijken naar buiten. Ze denken aan het
dorp. Zou het al zover zijn? Zijn de kaarsjes al aan?
Zit er al iemand op een stoel? Heeft er al iemand
dorst of trek in snoep?
Moeder neuriet een liedje en vader zingt mee.
Maar ineens is hij stil. Hij rijdt de auto naar de kant.
'Wat doe je nou?' vraagt moeder. 'Waarom stop je?
Lekke band?'
'Dat niet,' zegt vader. 'Maar ik geloof dat... Is het gas
wel uit? Is de deur wel op slot? Waar heb ik de sleutel
gelaten? Hè, wat dom van me.'
Hij slaat zich voor zijn hoofd. 'We moeten even terug.
Even kijken of alles in orde is.'
Ellie weet niet wat ze hoort. Terug, wil hij terug naar
het dorp?
Nellie stoot haar aan.
'Nee!' roept moeder uit.
Ellie en Nellie schudden wild hun hoofd. 'We willen
niet terug.'
'Het duurt maar even,' zegt vader. 'Zonde van de tijd,
maar er is niks aan te doen.'

'Het gas is echt wel uit, schat,' zegt moeder. 'We hoeven niet terug.'

'Ja pappa,' zeggen Ellie en Nellie. 'En de deur is heus op slot.'

'Ik weet het niet zeker,' zegt vader. 'En ik heb geen rust als ik het niet zeker weet. Het is vlakbij. Het duurt maar even, dan gaan we weer verder.'

'Toe nou, Henk,' zegt moeder. 'Laten we nou gewoon doorrijden. Alles is in orde, heus.' Ze aait vader over zijn arm.

Vader fronst. 'Jullie doen vreemd,' zegt hij. 'Wat is er aan de hand?'

'Niks,' zeggen Ellie en Nellie snel.

'Nee, niks,' zegt moeder.

'En waarom doen jullie dan ineens zo raar?'

De tweeling denkt na. Ze weten niet wat ze moeten zeggen. 'We, eh...' begint Ellie.

'We willen zo graag...' zegt Nellie.

'...naar Spanje,' zegt moeder. 'We kunnen gewoon niet wachten. Rij maar gauw verder.'

Vader kijkt hen aan. Hij vertrouwt het niet, dat zie je zo.

'We gaan heus wel naar Spanje,' bromt hij. 'Een uurtje later maakt niks uit.'

Daarna zegt hij niks meer. Hij draait de auto om en rijdt terug.

Wat een ramp! denkt Ellie.

Hij zal het knalfeest zien, denkt Nellie. De rotjes! De modder op de stoelen. De pies in het appelsap en het snot in de snoep.

Hij zal snappen wie dat heeft gedaan, denkt moeder. Wat zal hij kwaad zijn.

En wat zal er dan gebeuren? De drie durven er niet aan te denken. Muisstil zitten ze in de auto.

En daar is het dorp weer te zien.

Ellie en Nellie knijpen hun ogen dicht. Moeder ook.

Hoe kan dat nou?

'Daar is het plein al,' zegt vader. 'Zie je nou hoe snel dat gaat?'

Ellie en Nellie beven van angst. Ze zijn terug. Alles is verloren. Nu moet Nellie bij Ellie weg en laat vader moeder in de steek. Wat een ramp. Een knalfeest. Hadden ze het maar nooit gedaan!

'Wat zit ik lekker!' roept iemand.

'Mag ik nog een glaasje?' vraagt een ander. 'En ook nog een stuk taart graag.' De mensen klinken blij.

Blij? Hoe kan dat nou?

Ellie doet haar ogen open. Nellie en moeder ook. En ze weten niet wat ze zien.

Het plein is nog steeds een feestplein. Het hele dorp is er. Mensen zingen en dansen. Niemand let op de auto van vader.

Mensen zitten op stoelen. Niemand springt met een vies gezicht op.

Iemand drinkt appelsap. Hij spuugt het niet uit.

Kaarsjes branden op een taart. Er knalt niks. Geen knalfeest, maar een gewoon feest, niks meer en niks minder.

HOE KAN DAT NOU? Waar zijn de rotjes en de modder en de pies? Wat is er misgegaan?

'Is er iets?' vraagt vader. 'Waarom zien jullie zo bleek?'

'Bleek?' vraagt moeder. 'Ach, ik ben een beetje moe.'

'Wij ook,' zeggen Ellie en Nellie.

Vader schudt zijn hoofd. 'Nee,' zegt hij. Hij kijkt de drie strak aan. 'Ik weet waarom jullie zo bleek zien. Jullie zijn niet moe. Jullie zijn verbaasd. Daarom zien jullie bleek. Het is omdat jullie plan mislukt is en omdat je niet snapt hoe dat kan. Waar of niet?'

'Plan?' vraagt Ellie. Ze kijkt zo braaf als ze kan.

'Hoe bedoelt u, pappa?' vraagt Nellie.

'Modder op stoelen,' zegt vader. 'Pies in appelsap, snot in snoep en rotjes in taarten. Dát bedoel ik.'

Ellie en Nellie zien nu niet meer bleek, maar krijgen een kleur van schrik. Moeder ook.

Vader weet het. Hij weet alles!

'Maar dát feest ging niet door,' zegt vader. 'Want ik was er ook nog. Jammer, hè?'

'Jij?' vraagt moeder.

'Precies, ik,' zegt vader. 'Ik heb jullie wel gezien op het plein. Ik lag niet in bed, ik zat achter een boom. Daar zag ik alles. Ik wachtte tot jullie klaar waren en toen heb ik de hele boel opgeruimd, alle rotjes en vieze dingen. Niks knalfeest, dacht ik. Geen laatste streek van die drie.' Vader lacht. 'Slim van mij, hè?'

Hij start de motor weer. 'En nu gaan we echt naar

Spanje. Het gas is uit en de deur op slot. Dat wist ik heus wel. Ik wou alleen dat jullie dit zagen.'

Weer rijdt de auto het dorp uit. Niemand kijkt hem na.

Nellie staart naar buiten. Ze steekt haar tong uit naar een koe. De koe rent weg.

Ellie vraagt: 'Pappa, ben je boos op ons?'

'Een beetje wel,' zegt vader. 'Want we hadden een afspraak. Geen streken meer! Maar, eh... ik snap het ook wel. Dat feest was niet leuk voor jullie. Ik snap dat jullie kwaad waren.

En toch... doe dit NOOIT in Spanje! Begrepen?'

'Beloofd!' zeggen drie stemmen in koor.

'Blijven we dan bij elkaar?' vraagt moeder. 'Stuur je niemand weg?'

'Ach...' zegt vader. 'Wat moet ik zonder jullie?'

De auto rijdt het bos weer in.

'Maar pappa,' begint Nellie. 'Ik begrijp het niet. Dat knalfeest was een geheim plan, we hebben het aan niemand verteld. Hoe wist jij het dan? Hoe heb je het ontdekt?'

Vader grijnst en kijkt in de spiegel. Zo ziet hij de tweeling. Twee lieve blonde meisjes. Daarna kijkt hij naar moeder. Een knappe, blonde vrouw.

'Och,' zegt hij dan, 'ik ken jullie langer dan vandaag...'